Jessica

la force sexuelle
ou
le Dragon ailé

Editions Prosveta S.A. – B.P.12 – 83601 Fréjus Cedex (France)

ISSN 0290-4187
ISBN 2-85566-345-8

Omraam Mikhaël Aïvanhov

la force sexuelle
ou
le Dragon ailé

5e édition

Collection Izvor
N° 205

EDITIONS PROSVETA

Du même auteur :

Collection Izvor

L'enseignement du Maître Omraam Mikhaël Aïvanhov étant strictement oral, ses ouvrages sont rédigés à partir de conférences improvisées, sténographiées ou enregistrées sur bandes magnétiques.

I

LE DRAGON AILÉ

Dans toutes les traditions populaires, dans les contes, les mythologies, on trouve l'image du serpent ou du dragon, dont le symbolisme est à peu près identique d'une culture à l'autre. D'innombrables contes parlent d'un dragon qui a capturé une belle princesse, innocente et pure, qu'il garde prisonnière dans un château. La pauvre princesse pleure, languit et supplie le Ciel de lui envoyer un sauveur. Mais, les uns après les autres, les chevaliers qui se présentent pour la délivrer se font dévorer par le dragon qui s'empare de leurs richesses et les entasse dans les souterrains du château. Enfin, un jour, arrive un chevalier, un prince plus noble, plus beau et plus pur que les autres, auquel une magicienne a révélé le secret pour vaincre le dragon : quelle est sa faiblesse, à quel moment et de quelle manière on peut le ligoter ou le blesser... Et voilà que ce prince privilégié, bien

armé et bien instruit, remporte la victoire : il
arrive à libérer la princesse, et quels doux baisers ils se donnent ! Tous les trésors qui sont là,
entassés depuis des siècles dans le château,
appartiennent alors à ce chevalier, à ce beau
prince qui est sorti victorieux du combat grâce
à ses connaissances et à sa pureté. Puis, tous
deux, montés sur le dragon que conduit le prince, s'envolent dans l'espace et parcourent le
monde.

Ces contes que l'on croit en général réservés
aux enfants, sont en réalité des contes initiatiques, mais pour pouvoir les interpréter, il faut
connaître la science des symboles. Le dragon
n'est autre que la force sexuelle. Le château
c'est le corps de l'homme. Dans ce château
soupire la princesse, c'est-à-dire l'âme que la
force sexuelle mal maîtrisée retient prisonnière. Le chevalier, c'est l'ego, l'esprit de l'homme. Les armes dont il se sert pour vaincre le
dragon représentent les moyens dont dispose
l'esprit : la volonté, la science pour maîtriser
cette force et l'utiliser. Donc, une fois maîtrisé,
le dragon devient le serviteur de l'homme, il lui
sert de monture pour voyager dans l'espace.
Car le dragon a des ailes. S'il est représenté
avec une queue de serpent – symbole des forces
souterraines – il possède aussi des ailes. Eh oui,

c'est clair, c'est simple, c'est le langage éternel des symboles.

On trouve une variante de cette aventure dans l'histoire de Thésée qui, grâce au fil que lui avait donné Ariane, a pu se diriger à travers le labyrinthe, tuer le Minotaure et retrouver la sortie. Le Minotaure est une autre représentation de la force sexuelle, le taureau puissant et prolifique, donc la nature inférieure qu'on doit atteler pour travailler la terre comme le bœuf. Le labyrinthe a la même signification que le château : c'est le corps physique, et Ariane représente l'âme supérieure qui conduit l'homme vers la victoire.

Dans les traditions juives et chrétiennes, le Dragon est assimilé au Diable, et le Diable, comme on dit, sent le soufre. Tous ces produits inflammables comme l'essence, le pétrole, la poudre, ces mélanges de gaz qui produisent des flammes et des détonations, c'est cela justement, dans la nature, le Dragon qui crache le feu. Ce Dragon, qui existe aussi en l'homme, est comparable à un combustible. Si l'homme sait s'en servir, il sera propulsé vers les hauteurs, mais s'il ne sait pas, parce qu'il est ignorant, négligent ou faible, il sera brûlé, réduit en cendres ou précipité dans l'abîme.

II

AMOUR ET SEXUALITÉ

I

Question : « Maître, voudriez-vous nous
dire la différence que vous faites entre l'amour
et la sexualité, et comment on peut utiliser la
sexualité dans la vie spirituelle ? »

Voilà une question très intéressante, qui
touche ce qu'il y a de plus important dans la
vie et concerne tout le monde. Oui, les jeunes
et les vieux...

Je ne dirai pas que je suis tellement qualifié
pour répondre à toutes les questions que soulè-
ve ce problème. Ce que j'ai d'un peu particulier, c'est que j'aime toujours voir les choses
d'un certain point de vue, et j'ai consacré toute
ma vie à l'acquisition de ce point de vue. Je
vous en dirai donc d'abord deux mots afin que
vous ne commenciez pas à me critiquer en
disant : « Oh là là ! Moi j'ai lu des livres sur
l'amour et la sexualité où on disait beaucoup

plus de choses. Qu'il est ignorant, cet instructeur!» Eh oui, je suis ignorant, pourquoi pas?
Mais ceux qui ont écrit ces livres n'avaient pas
mon point de vue et ils n'ont pas compris cette
question comme je la comprends. Vous pouvez
donc, si vous voulez, vous renseigner en lisant
tout ce que les psychanalystes et les médecins
ont écrit sur la sexualité, mais moi, je veux
vous amener vers un autre point de vue incon-
nu presque jusqu'à maintenant.

Quel est ce point de vue? Je me suis amusé
quelquefois à l'illustrer par l'image suivante.
Un professeur diplômé de trois ou quatre uni-
versités travaille dans son laboratoire où il fait
toutes sortes de recherches et d'expériences...
Mais voilà que son fils de douze ans, qui
s'amuse dans le jardin, est monté sur un arbre,
et de là-haut, il crie : «Papa, je vois mon oncle
et ma tante qui arrivent...» Le père, qui ne voit
rien, demande à l'enfant : «A quelle distance
sont-ils? Que portent-ils?» Et l'enfant lui
donne tous les renseignements. Malgré toute sa
science, le père ne voit rien, alors que l'enfant,
qui est tout petit et ignorant, est capable de
voir très loin, simplement parce que son point
de vue est différent : il est monté très haut tandis que son père est resté en bas.

Evidemment, ce n'est qu'une image, mais

elle vous fera comprendre que s'il est utile
d'avoir des facultés intellectuelles et des connaissances, le point de vue est encore plus
important. Selon qu'on observe l'univers du
point de vue de la terre ou du point de vue du
soleil, on obtient des résultats tout à fait différents. Tout le monde dit : «Le soleil se lève, le
soleil se couche...» Oui, c'est vrai, mais c'est
faux. C'est vrai du point de vue de la terre ; du
point de vue géocentrique vous avez raison.
Mais du point de vue héliocentrique, solaire,
c'est faux. Tous regardent la vie du point de
vue de la terre, et évidemment, de ce point de
vue, ils ont raison. Ils disent : «Il faut manger,
gagner de l'argent, profiter des plaisirs...» Mais
s'ils se plaçaient du point de vue solaire, c'est-
à-dire du point de vue divin, spirituel, ils ver-
raient différemment les choses. Et c'est ce point
de vue que je possède, qui me permet de vous
présenter la nature de l'amour et de la sexualité
d'une tout autre manière.

Au premier abord, il semble difficile de
séparer la sexualité de l'amour. Tout vient de
Dieu et tout ce qui se manifeste à travers
l'homme comme énergie est, à l'origine, une
énergie divine : mais cette énergie produit des
effets différents selon le conducteur à travers
lequel elle se manifeste. On peut la comparer à

l'électricité. L'électricité est une énergie dont on ignore la nature, mais lorsqu'elle passe à travers une lampe elle devient lumière, bien qu'elle ne soit pas de la lumière. En passant par un réchaud, elle devient chaleur; en passant par un aimant, elle devient magnétisme; en passant par un ventilateur, elle devient mouvement. De la même façon, il existe une force cosmique originelle qui prend tel ou tel aspect suivant l'organe de l'homme au travers duquel elle se manifeste. A travers le cerveau, elle devient intelligence, raisonnement; à travers le plexus solaire ou le centre Hara, elle devient sensation et sentiment; quand elle passe par le système musculaire, elle devient mouvement; et quand elle passe, enfin, par les organes génitaux, elle devient attraction pour l'autre sexe. Mais c'est toujours la même énergie.

L'énergie sexuelle vient donc de très haut, mais en passant par les organes génitaux, elle produit des sensations, une excitation, un désir de rapprochement, et il se peut que dans ces manifestations, il n'y ait absolument aucun amour. C'est ainsi chez les animaux. A certaines périodes de l'année, ils s'accouplent, mais le font-ils par amour? Souvent, ils se déchirent et chez certains insectes comme la mante religieuse ou certaines araignées, la femelle mange le mâle. Est-ce de l'amour? Non, c'est de la pure sexualité. L'amour commence quand cette énergie touche en même temps d'autres centres en l'homme : le cœur, le cerveau, l'âme et l'esprit. A ce moment-là, cette attraction, ce désir que l'on a de se rapprocher de quelqu'un est éclairé, illuminé par des pensées, des sentiments, un goût esthétique; on ne recherche plus une satisfaction purement égoïste où l'on ne tient absolument aucun compte du partenaire.

L'amour, c'est de la sexualité, si vous voulez, mais élargie, éclairée, transformée. L'amour possède tellement de degrés et de manifestations qu'on ne peut même pas les énumérer et les classer. Il arrive, par exemple, qu'un homme aime une jeune et jolie femme, mais sans être tellement attiré physiquement par elle : il veut surtout la voir heureuse, en bonne santé, instruite, riche, bien placée dans la société, etc... Comment expliquer cela? Ce n'est pas uniquement de la sexualité, mais de l'amour; c'est donc un degré supérieur. Mais il doit entrer quand même un peu de sexualité dans cet amour, car on peut se poser la question : pourquoi cet homme ne s'est-il pas attaché à une autre personne, à une femme vieille et laide, ou à un autre homme? Oui, si on analyse, on découvrira au moins un faible degré de sexualité.

La sexualité... l'amour... ce n'est donc qu'une question de degrés. Lorsque vous ne vous arrêtez plus seulement sur quelques sensations physiques grossières, mais que vous sentez les degrés supérieurs de cette force cosmique vous envahir, c'est cela l'amour, et vous communiez avec les régions célestes. Mais combien de gens, une fois leur désir assouvi, se quittent ou même commencent à se battre! Ce qui compte pour eux, c'est seulement de se décharger, de se débarrasser d'une tension, et si après quelque temps, cette énergie s'accumule de nouveau en eux, ils redeviennent souriants et tendres, mais dans le seul but de satisfaire à nouveau leur animalité. Quel amour y a-t-il là?

On a des besoins, des désirs et c'est normal, surtout quand on est jeune. La nature, qui a tout prévu, a trouvé cela nécessaire pour la propagation de l'espèce. Si l'homme et la femme restaient froids l'un devant l'autre, s'ils étaient dégagés de ces impulsions et de ces instincts, c'en serait fini de l'humanité. C'est donc la nature qui pousse les créatures à se rapprocher physiquement, mais l'amour c'est autre chose.

On peut dire que la sexualité est une tendance purement égocentrique qui pousse l'être humain à ne rechercher que son plaisir, et cela peut l'amener à la plus grande cruauté, car il ne pense pas à l'autre, il ne cherche qu'à se satisfaire. Tandis que l'amour, le véritable amour pense tout d'abord au bonheur de l'autre, il est basé sur le sacrifice : sacrifice de temps, de forces, d'argent, pour aider l'autre, pour lui permettre de s'épanouir et de développer toutes ses possibilités. Et la spiritualité justement commence là où l'amour domine la sexualité, quand l'être humain devient capable d'arracher quelque chose de lui-même pour le bien de l'autre. Tant qu'on n'est pas capable de se priver de quoi que ce soit, ce n'est pas de l'amour. Quand un homme se jette sur une fille, est-ce qu'il pense au mal qu'il peut lui faire ? Non, et il est même prêt à la tuer pour assouvir ses instincts. C'est cela, la sexualité, un instinct purement bestial.

Vous direz : «C'est évident, il n'y a rien de divin là-dedans !» Si, la sexualité est d'origine divine, mais tant que l'être humain ne sait pas se maîtriser, ses manifestations ne sont évidemment pas divines. Ce qu'il y a de bon dans la sexualité, c'est qu'elle travaille à la propagation de l'espèce, mais si on ne l'oriente que vers le plaisir, c'est du gâchis. Actuellement, on a inventé des choses invraisemblables dans ce domaine. Il y a la pilule, bien sûr, mais on vend aussi une quantité de produits et d'objets que je ne veux même pas nommer. Il ne s'agit plus, ici, de la propagation de l'espèce, mais exclusivement du plaisir.

Je ne m'arrêterai pas sur cette question pour discuter si ces choses-là doivent exister ou non. Dans l'état actuel de l'humanité, même des moralistes, même des religieux ont trouvé nécessaire, inévitable qu'elles existent, parce que la nature inférieure, la nature animale dans l'homme est encore tellement puissante que, si on ne la laissait pas se manifester, elle produirait des phénomènes encore plus préjudiciables. Donc, je ne veux pas discuter là-dessus, je dis seulement qu'il est dommage qu'on n'instruise pas les humains sur les avantages de contrôler cette énergie, et de l'utiliser dans un but divin, pour des travaux spirituels, au lieu d'avoir recours à toutes sortes de produits et de fabrications pour se vautrer dans le plaisir.

Dans leurs manifestations extérieures il n'y a guère de différence entre l'amour et la sexualité : ce sont les mêmes gestes, les mêmes étreintes, les mêmes baisers... La différence est dans la direction que prennent les énergies.

Quand vous êtes uniquement poussé par la sensualité, vous ne vous préoccupez pas de l'autre personne, tandis que si vous l'aimez, vous pensez surtout à la rendre heureuse. La sexualité et l'amour ne se différencient donc pas tellement dans le plan physique, ils se différencient seulement dans le plan invisible, psychique, spirituel. Et comment ? C'est justement ce que je veux vous révéler.

Tous ceux qui ont étudié la question de la sexualité, les physiologistes, les psychiatres, les sexologues, n'ont jamais découvert ce qui se passe dans le domaine subtil, éthérique et fluidique pendant l'acte sexuel. Ils savent qu'il se produit des excitations, des tensions, des émissions, et ils les ont même classées. Mais ce qu'ils ne savent pas, c'est que, quand il s'agit de la sexualité purement physique, biologique, égoïste, il se produit dans les plans subtils toutes sortes d'éruptions volcaniques qui se manifestent par des formes grossières, des émanations très épaisses avec des couleurs ternes, brouillées, où le rouge prédomine, mais un rouge sale... Et toutes ces émanations s'engouffrent dans la terre où des créatures ténébreuses attendent pour prendre leur repas et se régaler de ces énergies vitales. Ce sont des créatures peu évoluées et qui se nourrissent souvent auprès des amoureux. Vous êtes étonnés, mais c'est la vérité : les amoureux donnent des festins dans le monde invisible.

Dans le passé, il arrivait qu'à l'occasion d'une naissance, d'un mariage ou d'une victoire, les rois et les princes donnent des festins publics qui duraient plusieurs jours. Alors tous les mendiants, les clochards, les déshérités venaient se régaler parce qu'on distribuait à manger à tout le monde. Et vous voyez, c'est le même phénomène qui se répète, mais sous une forme que la science n'a pas encore découverte. Quand un homme et une femme sont attirés, s'aiment et s'unissent, eux aussi donnent un festin, et ce festin est offert publiquement devant beaucoup d'autres créatures. Même si leur union reste secrète, ils reçoivent des visites du monde invisible, et malheureusement ce sont des larves, des élémentaux qui viennent se régaler à leurs dépens et tout absorber parce que dans ces effusions il n'y avait que très peu d'éléments pour l'âme, pour l'esprit, pour le côté divin.

Voilà pourquoi les échanges que font les amoureux leur apportent rarement de grands bénéfices ; au contraire même ils s'appauvrissent : dans leur regard, la couleur de leur visage, leurs mouvements et toute leur façon d'être, il apparaît quelque chose qui n'est plus aussi vivant et lumineux. C'est parce que leur amour, encore trop inférieur, a attiré des créatures ténébreuses. Pourquoi n'ont-ils pas plutôt invité les esprits de la nature et même les anges et tous les esprits lumineux qui ont aussi besoin de se nourrir ?...

Quand un mage veut faire une cérémonie, il commence par tracer un cercle autour de lui pour se protéger, et les esprits malfaisants sont là, à tourner autour, ils le menacent, ils veulent lui nuire, le foudroyer, mais ils ne peuvent pas entrer, car dans ce cercle le mage est à l'abri comme dans une forteresse. Mais on n'a jamais appris aux hommes et aux femmes à se protéger des entités ténébreuses, et c'est ce qui m'a amené un jour à dire quelque chose de très osé : qu'à l'origine de tous les malheurs de l'humanité il y a l'amour inférieur des hommes et des femmes. Oui, s'il se produit toutes ces guerres et ces épidémies, c'est à cause de ceux qui font l'amour comme des animaux, de façon stupide, dégoûtante, infernale. Car ils donnent ainsi des matériaux à tous les esprits désireux de faire du mal à l'humanité, ils les nourrissent, ils les renforcent. Si les hommes et les femmes savaient cela, ils seraient tellement tristes, malheureux et écœurés de ce qu'ils font, qu'ils tâcheraient d'apprendre comment aimer.

La spiritualisation de l'amour est la condition de la venue du Royaume de Dieu. Donc, que ceux qui sont éclairés, qui ont un haut idéal d'amour, sachent qu'ils peuvent servir le Royaume de Dieu avec cette énergie qu'est la force sexuelle; et alors, qu'ils s'aiment, qu'ils s'embrassent, mais avec l'idée de consacrer cet amour à la réalisation de quelque chose de divin. A ce moment-là, ils produiront des émanations d'une telle beauté que les anges eux-mêmes seront étonnés, émerveillés, et qu'ils viendront leur apporter des présents.

Donc, je le répète, quelle que soit la nature de votre amour, les gestes que vous devez faire sont toujours les mêmes: vous devez vous rapprocher de l'être que vous aimez, le serrer, l'embrasser, le caresser; rien ne change: la différence, c'est ce que vous mettez dans ces gestes, et c'est cela qui compte. Quelqu'un dit: «Ah! j'ai vu un tel embrasser une telle!» et il les condamne. Le Ciel ne regarde pas cela, il regarde ce qu'ils ont mis dans leur baiser: s'ils se sont donné quelque chose de beau, de pur, le Ciel les récompense. Sur la terre ils sont peut-être condamnés par des ignorants, mais en haut, ils sont récompensés.

Si vous mettez dans votre amour la vie éternelle, l'immortalité, la pureté, la lumière, et que celui que vous aimez grandit, avance et s'épanouit grâce à vous, alors c'est vraiment de l'amour, car le véritable amour améliore tout. Mais si vous aimez quelqu'un et qu'il se mette à péricliter, vous devez vous poser des questions sur la qualité de vos sentiments et vous dire : «Mais alors, j'ai abîmé cet être. Avant il était splendide et maintenant, c'est une ruine». Vous n'avez donc pas de quoi être tellement fier, et vous devez chercher comment réparer vos erreurs.

Votre amour doit faire grandir un être. Et c'est seulement quand vous le voyez s'épanouir grâce à votre amour que vous pouvez être heureux et fier, et remercier le Ciel d'avoir réussi à l'aider et à le protéger. Mais en général les gens ne se préoccupent pas de ces choses-là, et ensuite ils viennent me dire : «Je l'aime, je l'aime!... – Oui je réponds, je sais que vous l'aimez, mais comme une poule que vous mettez à la casserole pour la manger : vous l'aimez, vous la dévorez, et c'est fini.» Non, l'amour ne doit jamais dévorer, abîmer les êtres... Vous voyez, l'amour tel que je le comprends est très différent de tout ce que la foule ou la jeunesse, qui ne sont pas éclairées, peuvent imaginer.

Les humains ne savent pas aimer, et ensuite, pour se justifier, ils me diront : «Maître, vous ne connaissez pas la nature humaine, elle est terrible !» Ah bon, je ne connais pas la nature humaine !... Mais je leur répondrai que, autant ils ont rendu cette nature humaine difficile à dompter, autant ils peuvent aussi l'assagir, l'ennoblir. Ils n'ont pas fait d'efforts dans le passé, alors maintenant, bien sûr, ils ont reçu une nature très difficile. Voilà comment cela s'explique ; c'est de leur faute, impossible de se justifier. Beaucoup décident de ne plus faire d'efforts parce que, soi-disant, il est impossible de se changer. Si, c'est possible. Et désormais, même si vous rencontrez de grands obstacles, vous devez dire : «Le Maître nous a parlé de cet amour et je veux arriver à le connaître.» Pourquoi toujours objecter que la réalité est différente de ce que je vous présente ? Voilà : la réalité, comme si ce mot pouvait tout excuser ! Mais il y a des réalités et des réalités.

Je ne nie pas que la sexualité soit une réalité, mais pourquoi s'arrêter à cette réalité tellement inférieure, grossière ? Il existe un autre degré de réalité qui est aussi réel mais plus subtil. Certains êtres sont arrivés à saisir et à vivre cette réalité, et maintenant, pour rien au monde vous ne pouvez les convaincre de l'abandonner pour retourner en arrière, ils ne veulent pas. Mais les autres aussi, malheureusement pour rien au monde vous ne pouvez non plus les convaincre d'essayer d'élargir, d'élever le degré de leur amour; ils négligent toutes ces grandes vérités qui peuvent les sauver, ils continuent à descendre vers l'animalité, et ensuite, évidemment, ils se retrouvent désaxés, déchirés. C'est normal, leur amour ne pouvait être merveilleux que pendant quelques minutes; ensuite, c'est de la cendre, des scories. On dit: «C'était tellement beau!» Oui, c'était... mais ça ne l'est plus, ça n'a pas duré, et l'or est devenu du plomb. Tandis que l'amour céleste reste éternellement de l'or, rien ne peut l'oxyder.

L'homme a une hérédité et il doit lutter contre cette hérédité; depuis des milliers d'années le genre humain s'est fait de l'amour une certaine conception qui s'est enregistrée dans nos cellules et il est difficile de l'effacer. Mais ce n'est pas parce que vous n'arrivez pas à transformer du jour au lendemain votre conception de l'amour, que vous ne devez pas croire ce que disent les grands Maîtres. Si vous n'arrivez pas à changer, cela veut dire tout simplement que vous êtes déformé ou faible, mais non que les Initiés vous trompent.

Autant vous avez des tendances inférieures, autant vous êtes obligé de les satisfaire, mais cela ne doit pas vous empêcher de croire qu'une amélioration est possible. Et le jour où vous arriverez à développer d'autres tendances, sublimes, divines, vous nagerez dans l'océan de l'Amour cosmique, alors qu'auparavant vous ne vous nourrissiez que de quelques gouttes éparpillées par-ci par-là (et encore, pour les trouver, quelle vie de déceptions et de malheurs!) Maintenant que vous êtes plongé dans cet océan cosmique, vous buvez, vous n'avez pas besoin d'aller voler quelques gouttes d'amour chez les autres.

Je sais que ce que je dis sera incompréhensible pour certains. Mais qu'ils fassent ce qu'ils peuvent avec l'espoir que, dans quelques incarnations, ils arriveront à transformer leur amour. Il ne faut pas se tuer! Pour ceux qui ont déjà travaillé dans d'autres incarnations, il est plus facile d'arriver à se contenter de très peu de choses dans le plan physique, et même ensuite de se libérer complètement et de goûter l'amour en haut, dans le plan spirituel.

Evidemment, les êtres qui en sont capables sont très rares. Combien de religieux ont fait vœu de célibat sans bien savoir à quoi ils s'engageaient! Ils étaient très jeunes, ils ne se connaissaient pas, ils ne connaissaient pas la nature humaine et un jour, quand les instincts et les passions se réveillaient, ils étaient submergés. Quelle tragédie ! Oui, que de tragédies dans les couvents pour les hommes et pour les femmes ! Il vaut mieux se marier et avoir des enfants plutôt que de se tourmenter, là-bas, dans un couvent en étant soi-disant la fiancée de Jésus, alors qu'on ne cesse de faire dans son imagination des adultères avec tous les autres. Dans ce cas, c'est mieux de sortir des couvents. Le Seigneur est beaucoup plus large, il n'a jamais demandé qu'on se consacre absolument à Lui si on doit vivre pour cela dans les tourments. Il préfère que l'on fasse du bien en ayant une femme – ou un mari – et des enfants, plutôt que de vivre une vie désaxée, désordonnée et de troubler l'atmosphère par tous ses désirs inassouvis.

Même des saints et des saintes ont été tourmentés toute leur vie par la force sexuelle, et c'est à peine si, à la fin, ils ont trouvé la paix. Sainte Thérèse d'Avila était très passionnée. Et même sainte Thérèse de l'Enfant-Jésus, on ne sait pas toujours comment elle a vécu, ni quelles tentations elle a eu à surmonter. Elle n'était pas comme on la présente, une petite fille mignonne, avec un visage tendre et délicat. Non, sa nature était forte et puissante. Moi, je l'admire beaucoup, je l'aime beaucoup, sainte

Thérèse, mais je ne suis pas d'accord avec la manière inexacte dont on la présente sous prétexte de sauver la situation !...

II

Beaucoup de saints et de saintes ont été très ardents jusqu'à la dernière minute, et ce n'était pas mauvais, au contraire. Ceux qui savent utiliser la force sexuelle sont les plus riches et les plus privilégiés, parce que cette force est une bénédiction. Beaucoup de gens très croyants ont voulu se suicider parce qu'ils sentaient cette ardeur en eux et se croyaient damnés. C'est qu'ils n'avaient rien compris, et malheureusement l'Eglise n'explique rien à ce sujet. Dans l'Initiation, on présente les choses autrement. La force sexuelle est un don de Dieu, seulement il faut savoir l'utiliser. Les pays qui ont beaucoup de charbon ou de pétrole dans leur sous-sol deviennent archi-milliardaires parce qu'ils les utilisent. Et ceux qui ne savent pas les utiliser se brûlent. De même la force sexuelle est une énergie que l'homme doit apprendre à utiliser pour éclairer, chauffer et tout faire marcher au-dedans de lui.

Mais les gens sont tellement loin de la vérité que, lorsqu'ils voient une jeune fille ou un jeune garçon qui possède beaucoup de cette force, ils sont prêts à le lui reprocher. Comme si ces jeunes gens devaient ne rien sentir! comme s'ils devaient être morts!... Voilà l'idée des adultes, et au lieu de l'aider, ils vont tous l'abîmer et lui barrer le chemin, personne ne lui dira: «Bravo, mon garçon! Tu es privilégié d'avoir cette richesse... Seulement tu dois savoir que, si tu n'es pas intelligent, cette richesse justement sera la cause de tous les malheurs». Voilà ce qu'on devrait lui dire, mais au lieu de cela, on le plaint, on le critique; et quand on voit un garçon froid, on se réjouit. Mais que fera-t-il avec sa froideur? Rien du tout! Moi aussi j'ai été éduqué ainsi, et même pire que vous. Si vous saviez comment nous étions éduqués en Bulgarie au début du siècle! C'est pourquoi je remercie le Ciel d'avoir eu la lumière de cet Enseignement.

Et maintenant, s'il y a des jeunes filles ou des jeunes garçons qui viennent m'entendre aujourd'hui pour la première fois, je me permettrai d'ajouter encore quelques mots pour les aider. Vous penserez peut-être que je raconte trop de choses scabreuses... Oh là là, mais ce n'est rien! Si vous saviez seulement ce que la jeunesse est en train d'apprendre et d'entendre, de quoi elle parle, de quoi elle s'occupe, vous seriez stupéfaits. Même les petits de douze ou treize ans se racontent de ces histoires! Ce que je dis, moi, ce n'est rien à côté...

Donc, un jour, j'ai reçu la visite d'une jeune fille; elle était très jolie, sympathique, et d'après ses manières on voyait qu'elle était très bien éduquée. Mais voilà qu'elle m'a révélé qu'elle était très malheureuse parce qu'elle était obsédée par une image: dans tout ce qu'elle regardait, les fleurs, les fruits, les objets, et même sur le plafond, elle ne voyait que le sexe masculin. Et comme elle était croyante, catholique, elle se sentait vraiment perdue et tombée dans le péché.

Quand je l'ai entendue, je me suis mis à rire. Elle m'a regardé d'un air un peu étonné et je lui ai dit: «Ecoutez-moi, me permettez-vous de vous expliquer et de vous donner un moyen de sortir de là? – Oh oui, dit-elle, oui.» Et je lui ai expliqué: «Il n'y a rien de grave, il n'y a rien de mauvais dans tout ce que vous me dites. C'est naturel, c'est normal, ce sont des choses qui arrivent à tout le monde; plus ou moins, bien sûr, mais il n'y a pas de quoi se désespérer. La nature s'occupe de la propagation de l'espèce et c'est elle qui crée ces représentations chez les hommes et chez les femmes. Mais il faut savoir comment agir, comment utiliser ces images, sinon regardez dans quel état vous êtes...

» Voici donc désormais ce que vous devez faire. Quand il vous arrive de voir cette image sur un fruit ou sur un objet, au lieu de vous désoler, regardez tranquillement... Mais ne vous y arrêtez pas longtemps, parce que certains désirs risquent de s'éveiller et alors, pour se consoler, on a recours aux gestes, et ainsi de suite... Donc, pour que cela ne se produise pas, devenez un peu philosophe, c'est-à-dire, commencez à penser à l'Intelligence qui a présidé à la formation de ces organes. Vous réfléchissez, vous méditez, vous êtes émerveillée de l'Intelligence sublime qui s'est occupée de créer des choses aussi parfaites et vous avez déjà oublié la tentation qu'elles pouvaient apporter. Tandis que si vous vous appesantissez, vous n'en sortirez plus. Prenez cette image comme un point de départ capable de vous propulser jusqu'à la source. Si vous n'avez pas ce point de départ, comment arriverez-vous à votre prédestination, en haut ? Mais souvenez-vous bien de ne le prendre que comme un point de départ, ne vous y arrêtez pas longtemps, sinon vous allez vous engouffrer et vous perdre. Vous devez seulement l'utiliser.

»Malheureusement les humains ne savent pas aller au-delà du monde des formes pour réfléchir et s'émerveiller. Ils ne savent pas que c'est cet émerveillement, justement, qui les sauvera. Vous dites : «Mais que m'arrive-t-il? C'est affreux, c'est dégoûtant», et c'est ce qui vous perd. Remplacez ces vieilles conceptions et ne dites plus : «C'est affreux», mais : «Quelle beauté! Quelle splendeur! Quelle intelligence! Comment la nature a-t-elle pu former une chose aussi extraordinaire?» Alors vous êtes dans l'émerveillement et vous retrouvez l'équilibre et la paix!» Voilà ce que j'ai dit à cette jeune fille et elle est partie très heureuse.

Le Seigneur a bien fait ce qu'Il a fait, alors pourquoi vouloir mutiler ses créations? Certains se comportent à l'égard de la sexualité comme si le Seigneur avait mal fait les choses... Eh bien, c'est cela qui est grave, c'est cela qui est puni. On doit être en admiration devant tout ce que Dieu a créé parce qu'Il savait pourquoi Il le créait. Ce n'est pas à nous de juger. Quelle drôle de philosophie on a donnée aux humains! Vous direz que c'était pour les garder dans la pureté, dans la chasteté... Mais c'est justement cela qui les pousse à transgresser toutes les lois de la pureté, parce que plus on leur présente les choses comme diaboliques et infernales, plus on les incite justement à aller voir et goûter !

Croyez-vous qu'en condamnant tout ce qui touche au sexe comme laid et dégoûtant, personne ne s'y intéressera plus et ne pratiquera rien ?... Mais alors, comment se fait-il que la majorité des hommes qui trouvent cela dégoûtant se vautrent quand même jour et nuit dans ce dégoût ? Cela n'a rien empêché, au contraire. Baudelaire dit même que c'est là où l'on sent que l'on commet un crime que l'on éprouve un plus grand plaisir. Oui, lorsque l'on sait que c'est défendu, que c'est criminel, le plaisir augmente. Cela peut être vrai, cela peut être faux, je ne veux pas en discuter, mais c'était seulement pour vous dire que vilipender le sexe n'a jamais été une solution, tandis que si vous pensez autrement, vous serez aidé.

La seule solution au problème de la sexualité est dans la manière dont les hommes et les femmes se considèrent. La cause de tous les désordres, de tous les débordements, c'est que les hommes n'ont jamais appris comment considérer les femmes, ni les femmes comment considérer les hommes. Si l'homme considère la femme comme une femelle, comme une Messaline, comme un objet de plaisir, il détermine déjà son comportement et il sera obligé de donner une issue à toutes ses tendances passionnelles. Mais s'il la considère comme une divinité, ses sentiments, son comportement seront transformés.

Jésus disait : «Qu'il te soit fait d'après ta foi». Oui, les choses deviennent telles ou telles selon la manière de les considérer. C'est une loi magique que l'humanité doit désormais connaître. On pense qu'on pourra changer la forme de son amour sans changer la manière de considérer celui ou celle qu'on aime... Non, c'est impossible. L'amour, il est très difficile de changer ses formes d'expression. Mais changer votre façon de considérer un être, et vous agissez sur vous, sur vos sentiments, sur vos tendances, donc sur la manifestation de votre amour. C'est ainsi que je fais, et je considère la femme comme une divinité. Vous direz : «Mon pauvre vieux, que vous êtes loin de la vérité! Si vous saviez seulement ce qu'est la femme!...» Et vous croyez que je ne le sais pas?... Mais je ne veux pas y penser, je ne veux savoir ni ce qu'elle est ni ce qu'elle peut être, et cela m'aide, c'est pour moi que je le fais. Si vous croyez que je ne sais pas ce qu'est la femme! J'aurais toutes les raisons de la considérer comme l'être le plus épouvantable, mais ça ne fait rien, je veux qu'elle représente une divinité pour moi. Je la considère donc comme une divinité et c'est moi qui en bénéficie : si vous saviez alors ce que je sens et ce que je découvre ! Ce point de vue contient toute une philosophie...

Il y a des années, un médecin est venu me voir, un vieux médecin, gros, ventru, et il s'est mis à me parler des femmes. Et savez-vous ce qu'il m'a dit ? Il m'a dit : «La femme, ce n'est qu'un vagin.» J'étais sidéré, oui. Dites-moi à quoi cela sert d'avoir des conceptions aussi prosaïques. C'est en partie vrai, bien sûr, on ne peut nier que l'être humain possède des intestins et toutes sortes d'organes qui ne sont pas particulièrement esthétiques. Mais ces intestins, ces fonctions un peu grossières, est-ce que l'homme ou la femme ne sont que cela ? Les gens confondent tout. L'être humain est obligé d'avoir un corps physique avec des organes adaptés à telle ou telle fonction, mais il est loin d'être uniquement tel qu'il apparaît physiquement. L'homme, la femme ne se réduisent pas à des organes, ce sont des êtres qui pensent et qui sentent, des êtres qui ont une âme et un esprit.

Quelle joie un homme peut-il ressentir en pensant que la femme n'est qu'un organe ?...

Toute sa vie psychique est gâchée. Ce médecin n'était vraiment pas psychologue : il n'avait pas étudié comment telle ou telle pensée influence notre état intérieur. Et moi, justement, ce qui m'intéresse, c'est de savoir comment tout ce que je pense se reflète sur moi... Et je préfère penser que la femme est une divinité. Vous direz : «Mais ce n'est pas la vérité !» Oui, vous avez peut-être raison, mais votre raison ne m'intéresse pas et votre vérité est la chose la plus pernicieuse. Moi, en vivant dans les illusions et les mensonges – à supposer que ce soit des illusions et des mensonges – je suis l'homme le plus heureux. Je considère toutes les femmes comme des divinités, comme un aspect de la Mère Divine, et alors si vous saviez quel bonheur, quelle joie je ressens rien qu'à la pensée que les femmes existent sur la terre, c'est inouï !... Est-ce que vous croyez que je viendrais encore vous faire des conférences si je pensais comme ce médecin ? Je n'aurais plus envie de vous voir, de vous parler, ni rien.

Alors, ça va loin cette affaire-là ! Et vous aussi, vous devez changer vos conceptions. Les hommes doivent changer leur opinion sur les femmes, et les femmes leur opinion sur les hommes, sinon les portes de l'évolution leur seront fermées ; quoi qu'ils fassent, ils ne feront aucun progrès. Pour les femmes aussi, l'homme doit être une divinité.

Ce qu'il ne faut jamais oublier, c'est que l'être humain possède deux natures : une nature inférieure, animale, et une nature supérieure, divine, que j'ai appelées la personnalité et l'individualité. Connaissant ces deux natures, le disciple d'une Ecole initiatique se demande toujours comment il peut nourrir l'individualité en lui-même et dans les êtres qu'il aime. Et c'est cela le véritable amour.

Mais arrêtons-nous seulement sur la façon dont les humains ont l'habitude de procéder pour gagner leur partenaire. Qu'il s'agisse d'un homme ou d'une femme, il faut l'amadouer, lui faire des compliments, flatter sa vanité, bref, toucher sa personnalité, sinon on sait qu'on n'obtiendra rien. Donc, tous deux savent s'y prendre : par des gestes, des paroles, des cadeaux, c'est toujours à la personnalité de l'autre qu'ils s'adressent. Quand il s'agit d'éveiller chez leurs bien-aimés toutes les facultés sublimes, idéales, lumineuses, parfaites, et de les nourrir ne serait-ce que d'une parole, d'un sourire, d'un regard... ils ne savent rien. Mais pour exciter et déclencher tout ce qui leur permettra d'assouvir leurs besoins inférieurs, là ils sont très savants. C'est pourquoi l'amour humain ne s'exprime encore que d'une façon animale, instinctive, passionnelle ; il est extrêmement rare d'y trouver un élément de poésie, de merveilleux.

Le rôle de la Science initiatique est de montrer aux humains comment ils peuvent nourrir la nature supérieure dans les êtres qu'ils aiment. Ce que je vais vous dire vous paraîtra bizarre et je me demande si vous me comprendrez, mais je vous le dirai tout de même. Supposons une femme qui tient son bien-aimé dans ses bras : évidemment, elle lui dit : « Mon cher André... » ou « Mon cher Jean... » ou « Tartampion chéri... », car, vous comprenez, il faut bien qu'il entende prononcer son nom pour que sa personnalité puisse se réjouir en pensant : « Ah ! comme elle m'aime !... » et ainsi elle envoie toutes ses énergies dans le gouffre de sa personnalité à lui. Mais imaginez maintenant que tous les deux connaissent la nature de la personnalité et de l'individualité, qu'ils soient instruits dans la Science initiatique : quand la femme embrassera son bien-aimé elle dira : « O Père Céleste !... » et son bien-aimé sera heureux de devenir un conducteur de ses énergies qui remonteront jusqu'au Père Céleste ! Et si lui aussi en l'embrassant s'adresse à travers elle à la Mère Divine, ses énergies se dirigeront également vers le Ciel.

Au lieu de limiter leurs échanges au côté inférieur où on ne sait jamais toutes les pourritures et les fermentations qu'ils vont donner ou absorber, il faut que l'homme et la femme puissent se lier à la source qui est Dieu. Oui, c'est sur cette source de perfection qu'ils doivent se brancher, et non sur un être limité et imparfait comme eux. Voilà un homme qui dit à une femme : «Chérie, je te rendrai heureuse». Vous le regardez : il est faible, ignorant et malheureux, comment la rendra-t-il heureuse ? C'est en se liant l'un et l'autre au Père Céleste et à la Mère Divine qu'ils puiseront des forces dans ces réservoirs inépuisables, ils puiseront un amour pur, incorruptible, et ils se sentiront abreuvés, éclairés, renforcés, rajeunis, heureux. Il faut savoir sans cesse créer et maintenir le lien avec l'amour divin. Tout ce que l'on fait doit être sensé, purifié, consacré, sanctifié pour servir une idée grandiose : le Royaume de Dieu et sa Justice.

Voilà des connaissances que les humains ne possèdent pas. Ils ne servent toujours que la personnalité en eux-mêmes et chez les autres et comme la personnalité a des racines souterraines, elle les entraîne vers les abîmes. Mais il est difficile d'amener les humains à changer de point de vue. Ils ont de vieilles habitudes et ils répètent sans arrêt ces vieilles habitudes : ils satisfont toujours leur personnalité et ils ne donnent rien à leur individualité qui reste affamée.

Malheureusement, la personnalité qui reçoit une quantité de choses tous les jours a beau être repue, elle n'est jamais reconnaissante. La preuve : une femme a tout donné à l'homme qu'elle aime, tout, et il l'oublie, il est déjà avec d'autres. Pourquoi ? Parce qu'elle satisfaisait seulement son sexe. Elle n'a pas réussi à nourrir en lui quelque chose de sublime, une autre nature pleine de noblesse qui, elle, n'oublie jamais le bien qu'on lui fait et reste éternellement reconnaissante. Et ensuite la pauvre femme se plaint : Je lui ai tout donné, et regardez maintenant comme il me traite ! Eh oui, parce qu'elle a nourri une nature qui est toujours ingrate.

Le jour où cette question des deux natures sera plus claire pour vous, vous arriverez beaucoup mieux à résoudre les problèmes sexuels. Celui qui donne libre cours à ses tendances personnelles, égoïstes, perd la maîtrise de sa sexualité : c'est comme si ses organes fonctionnaient indépendamment de lui sans qu'il puisse arrêter ou même freiner quoi que ce soit. Il constate seulement, et il ne peut rien, ce sont donc d'autres forces qui se sont emparées de lui, qui lui prennent tout; lui n'est là que pour observer... Tandis que dans l'amour spirituel, vous constaterez que c'est vous, c'est-à-dire votre âme, votre esprit, votre individualité qui dominent et qui se nourrissent. Ce n'étaient que des regards, une présence, un parfum, mais vous êtes heureux, dilaté parce que vous sentez que c'est vous-même, votre nature supérieure qui a mangé, qui a bu, qui a respiré, et non d'autres entités étrangères à travers vous.

Je vous donne la vraie lumière sur ce sujet, et croyez-moi, je n'invente rien. L'amour est le plus grand mystère qui existe; on le connaît très mal et on continue à le pratiquer sans réfléchir et sans comprendre. C'est pourquoi on est tout le temps à patauger et à se rendre malheureux. Même si la science fait des découvertes formidables, tant que la question de l'amour ne sera pas comprise et résolue, l'humanité ne sortira pas de ses malheurs. Voilà le point de vue que le Ciel m'a donné et qui me permet de voir clairement cette question.

III

LA FORCE SEXUELLE,
CONDITION DE LA VIE SUR LA TERRE

Observez le petit enfant : à peine né, il ne pense qu'à s'accrocher à la terre, et il s'accroche tellement bien, qu'il marche à quatre pattes ; tout ce qu'il voit il veut le toucher ou même le mettre à la bouche... Mais peu à peu il grandit, et voilà son cœur qui s'éveille ; si c'est un garçon, les jeunes filles commencent à prendre de l'importance pour lui, il devient amoureux, il veut fonder un foyer et peupler la terre de sa progéniture et de ses réalisations... Beaucoup plus tard, quand il a dépensé toutes ses énergies et voit qu'il vieillit sans être arrivé à réaliser ce qu'il désirait, un changement se produit en lui : la terre ne l'intéresse plus tellement et il commence à penser à l'autre monde. Lui qui, quelque temps auparavant, ne s'occupait que de manger, boire, avoir des enfants et accumuler des richesses comme s'il ne devait plus quitter la terre, il est maintenant devenu tellement impersonnel, désintéressé, froid, fatigué, blasé, qu'il se prépare à tout abandonner pour partir de l'autre côté. Que s'est-il passé ?... A l'origine de cette transformation il y a tout simplement l'affaiblissement de l'instinct sexuel, et vous allez voir maintenant comment la force sexuelle détermine chez l'homme la nature de sa philosophie.

Tant que l'homme possède cette force, il est d'accord de vivre sur la terre, mais quand elle l'abandonne, il ne pense qu'à mourir. C'est pourquoi certains Initiés du passé qui connaissaient tous ces phénomènes, d'où ils proviennent, de quoi ils dépendent, ont enseigné à leurs disciples que, s'ils voulaient se libérer de la terre avec ses souffrances et ses limitations, pour aller dans un monde de béatitude et de lumière, ils devaient supprimer les manifestations de la force sexuelle, et fuir les désirs et les convoitises en ne fréquentant pas les êtres de l'autre sexe, etc... sinon ils seraient pris immédiatement dans l'engrenage.

On peut donc dire qu'à l'origine des différentes tendances philosophiques et religieuses il y a la force sexuelle, l'attraction entre les sexes, et c'est l'attitude que les humains ont choisi d'adopter vis-à-vis de la force sexuelle qui détermine leur philosophie : une qui lui

donne issue, et l'autre qui essaie de la supprimer. En réalité, il y a bien d'autres philoso-
phies, mais toutes, plus ou moins, peuvent
entrer dans une de ces deux catégories.

Si vous ne voulez pas rester à souffrir sur la
terre, si vous voulez entrer dans l'éternité, dans
l'immortalité, il ne faut plus penser à la propagation de l'espèce parce que cela crée des liens
qui vous retiennent sur la terre : vous êtes lié au
père (ou à la mère) de vos enfants, vous êtes lié
physiquement à vos enfants qui sont chair de
votre chair, sang de votre sang ; et même psy-
chiquement aussi vous avez des liens avec eux.
C'est pourquoi la philosophie bouddhiste
enseigne que même quand l'homme part de
l'autre côté, quand il pense déjà avoir tout quit-
té et s'être libéré, eh bien non, il a encore des
liens avec ses enfants, avec tous ses parents, et
il ne peut donc pas quitter les régions inférieures du plan astral, il reste un certain temps très
près des humains, et surtout des membres de sa
famille, pour les observer, participer à leur vie
et même se nourrir à travers eux. D'après cette
philosophie, pour pouvoir être libre, il ne faut
plus se marier ni avoir d'enfants, parce que
ceux qui ont accepté de fonder une famille
pour que leur nom subsiste, sont attirés par le
nom, par la «firme», comme on dit, et ils doi-

vent toujours redescendre sur la terre parce
que, de là-bas, cette famille pense à eux, elle les
appelle.

Tous ces liens que les hommes ont avec la
terre les empêchent de rester dans les régions
célestes. C'est pourquoi ceux qui voulaient
vraiment ne plus avoir de racines sur la terre
sont devenus des ascètes, des ermites. Evidemment, leur philosophie est véridique car elle est
basée sur des connaissances initiatiques. Mais
dire qu'elle est utile, et qu'elle est adaptée à
notre époque, c'est une autre question. Il se
peut justement qu'elle ne convienne plus.
Voilà des problèmes que l'on doit résoudre.

La force sexuelle retient les humains sur la
terre mais sans les éclairer, sans les lier aux
régions sublimes en haut. Tandis que la sagesse
qui éclaire certains Initiés peut les rapprocher
de ces régions sublimes mais ils n'ont plus
aucune envie de continuer à vivre sur la terre.
Tous ceux qui ont voulu supprimer complètement cette force que Dieu leur a donnée ne
pensent qu'à mourir, à tout abandonner, car
seule la force sexuelle peut faire aimer la vie
terrestre dont elle est la principale condition. Il
ne faut donc jamais supprimer cette force ; tous
ceux qui l'ont supprimée ont commis la plus
grande erreur. Evidemment, ce qui les justifie,

c'est qu'ils souhaitent le nirvâna, mais ils le souhaitent tellement mollement, tellement faiblement, qu'on se demande quand ils y arriveront, parce que pour atteindre le nirvâna, l'amour devrait quand même dire son mot...

Un être vraiment éclairé se lie au Ciel, en même temps qu'il économise cette force pour la consacrer à la réalisation du Royaume de Dieu sur la terre. Il aura donc les deux : plus il vivra la vie avec intensité, plus il se fusionnera avec le Créateur, avec le Ciel ; et plus il sera avec le Ciel, plus il travaillera pour la terre. Seule cette solution est vraiment parfaite : en même temps qu'il vit pour le Ciel, il travaille sur la terre. Autrement la vie n'a ni tête ni queue, elle ne rime à rien.

Malheureusement, les humains n'ont jamais pu comprendre cela, ils sont toujours en train de choisir ou l'un ou l'autre, c'est-à-dire qu'ils sont complètement matérialisés ou alors complètement... on ne peut pas dire «spiritualisés», non, parce que vouloir mourir n'est pas de la spiritualité. En tout cas, ceux qui ont choisi de supprimer la force sexuelle pour ne plus se réincarner dans l'avenir, se réincarneront quand même, et combien de fois ! Oui, ils viendront apprendre à ne pas la supprimer. Le Ciel leur dira : «Ignorants, pourquoi avez-vous méprisé cette force que Dieu a créée depuis des millions d'années avec tellement de sagesse?» et il les renverra sur la terre.

Si l'on considère le cas des puritains et de certains mystiques, on constate qu'ils ont propagé une morale qui ne correspond pas tellement à la vérité et qui, en définitive, a donné des anomalies auxquelles les psychanalystes aujourd'hui sont obligés de remédier. Si vous faites un barrage sur une rivière sans prévoir des canaux de dérivation, il arrivera le moment où elle va déborder et tout ravager : votre barrage n'empêchera pas l'eau de couler. C'est ce qui se passera aussi si vous mettez des barrages aux énergies qui montent en vous : les tensions vont s'accumuler dans le subconscient et il arrivera un moment où tout sera emporté. Eh oui, quand on ne connaît pas la nature humaine, on court vers des catastrophes. Vous ne devez donc pas bloquer vos énergies, mais préparer des canaux pour qu'elles aillent irriguer toute votre terre ; comme les Egyptiens dans le passé qui avaient creusé des canaux pour que les eaux du Nil puissent fertiliser le pays.

Je ne suis pas pour la débauche, mais je ne suis pas non plus pour le puritanisme. Tout supprimer, c'est ignorer la raison pour laquelle Dieu a créé l'homme et la femme. Lorsque je suis allé en Grèce, j'ai voulu connaître les monastères du Mont Athos. J'ai tout visité, j'ai parlé avec les moines qui y habitaient, et même si j'ai beaucoup admiré les œuvres d'art, j'ai retiré de cet endroit une grande impression d'ennui et de tristesse. Parce que les moines vivaient là d'après des conceptions complètement erronées, et en particulier qu'il faut absolument bannir le principe féminin, car tout ce qui est féminin est mauvais et diabolique. Ils vont si loin dans leur rejet du principe féminin que, non seulement aucune femme ne peut mettre les pieds chez eux, mais ils n'ont même pas le droit d'avoir une chèvre, parce que c'est un animal femelle. Dites-moi un peu si c'est le Seigneur qui a pu leur inspirer une pareille philosophie !

Moi, je ne suis donc ni pour les puritains ni pour les débauchés, et je vous apporte une troisième solution : avec elle vous êtes liés de toute votre âme et de tout votre esprit à la Source de l'amour, et en même temps vous ne quittez pas la terre, vous faites votre travail ici sur la terre. Voilà justement la troisième solution, et un jour vous comprendrez que c'est la meilleure : avoir à la fois la terre et le Ciel.

Je ne sais si vous serez convaincus par mes explications, mais peut-être que d'ici quelque temps vous y serez obligés parce que vous verrez que j'ai trouvé la solution de beaucoup de problèmes que d'autres n'ont pas trouvée parce qu'ils n'ont pas osé ou qu'ils n'ont pas pu réunir les deux : ou ils donnaient libre cours à la force sexuelle et finissaient dans la débauche, ou ils la supprimaient complètement et devenaient des eunuques. Mais quand on supprime cette force, on s'anéantit, on perd le sens, le goût de la vie, et même on s'aigrit, on devient méchant. Et que pouvez-vous attendre d'un eunuque ? Qu'il compose des symphonies, qu'il écrive des poèmes ? Avec un eunuque, il n'y a aucune création, c'est fini, c'est la mort.

IV

SUR LE PLAISIR

I

Ne cherchez pas le plaisir,
il vous appauvrira

La jeunesse d'aujourd'hui réclame la liberté sexuelle en pensant que c'est là qu'elle trouvera l'épanouissement, le bonheur et la joie. Maintenant qu'on peut se procurer facilement la pilule contraceptive, on se réjouit de ce qu'il ne soit plus nécessaire de réfléchir, de se contrôler, d'être maître de soi. Non, non, fermons les yeux et laissons-nous aller!... et dans le monde entier on voit que cette fameuse pilule a de plus en plus de succès. Tout d'abord, bien sûr, elle a été mise au point pour des raisons d'équilibre démographique, mais ensuite d'autres raisons pas du tout démographiques se sont ajoutées, et surtout le désir de jouir sans entrave de toutes les femmes et de tous les hommes. Dites-moi si vraiment des filles de treize ans ont déjà besoin de la pilule... Pourtant, on les laisse s'en servir déjà à cet âge, et j'ai appris que, dans certaines écoles, ce sont les professeurs eux-mêmes qui en distribuent à leurs élèves, oui, les professeurs!...

En laissant les jeunes se presser d'expérimenter un domaine qu'ils ne connaissent pas, on ouvre pour eux la porte à tous les dérèglements physiques et psychiques. Ils font des expériences, mais ils ne savent pas que ces expériences auront à la longue des résultats catastrophiques et qu'ils seront désaxés, malades. En réalité, ni ceux qui se sont prononcés pour la pilule n'ont compris quelque chose, ni ceux qui s'y sont opposés. Ceux qui se sont prononcés pour, l'ont fait par complaisance : sachant combien les humains sont faibles, ils ont cédé devant cette faiblesse ; et les autres, qui s'y sont opposés, l'ont fait par hypocrisie, au nom de vieilles traditions morales qu'ils sont les premiers à ne pas respecter dans leur vie personnelle.

En tout cas, en mettant au point la pilule, la science qui croyait rendre un énorme service aux humains, n'a fait que leur permettre de se livrer impunément à tous les excès, de devenir faibles, sensuels et maladifs. Voilà les bienfaits de la science ! Avant la pilule, les garçons et les filles étaient au moins obligés de réfléchir, de se maîtriser un peu (pas pour des raisons de moralité et de pureté, bien sûr, mais par crain-

te des conséquences fâcheuses qui pouvaient
survenir), alors que maintenant ce n'est plus la
peine de se contrôler, on peut se laisser aller.

Je vous donnerai une image. Vous savez
comment marchaient les bateaux dans le passé.
En bas, il y avait les machinistes qui devaient
s'occuper de mettre du charbon dans les chau-
dières, c'est grâce à eux que le bateau avançait ;
mais eux-mêmes ne voyaient pas la direction, il
fallait un capitaine en haut pour s'occuper de
la direction et donner des ordres ; mais à lui
seul il n'avait pas les moyens de faire avancer
le bateau. Voilà encore une image de l'homme : les émotions, les sentiments, les instincts,
ce sont les combustibles qu'il faut mettre dans
la chaudière pour que le bateau puisse avancer.
Mais s'il n'y a pas quelqu'un de raisonnable et
lucide en haut pour l'orienter, le bateau se bri-
sera en morceaux...

Pendant une croisière dans l'Océan Arcti-
que, une dame demandait au capitaine : «Que
va-t-il se passer si notre bateau rencontre un
iceberg? – Oh, répondit le capitaine, l'iceberg
continuera sa route, madame.» Et le bateau? Il
n'a rien dit du bateau parce que c'était trop évident! Et l'homme aussi, si son «bateau» heurte
un iceberg, n'en parlons plus. C'est symbolique, bien sûr: le «capitaine» est ici, dans la

tête, et les «machinistes» sont partout dans le corps : le ventre, l'estomac, le sexe... Alors je dis à la jeunesse : si vous suivez seulement vos penchants, vos inclinations, vos prédilections, c'est sûr que vous allez vous casser la tête, parce que ces impulsions sont aveugles.

Dernièrement, à la télévision, j'entendais une jolie fille qui déclarait : «Je satisfais tous mes désirs sans complexes.» Voilà, elle s'était débarrassée de ses «complexes», c'est-à-dire de la sagesse, de la maîtrise, du discernement... Oui, car il paraît que ce sont des complexes, et les complexes, ce n'est pas bon, il faut s'en débarrasser ! Pour aller où ? Pour trouver quoi ? Pour faire quoi ? N'importe quoi !

Mais je poserai une question à tous ces garçons et ces filles qui croient si bien savoir ce qu'ils doivent faire : «Quand vous êtes au travail dans une usine, devant un appareil, quand vous avez une voiture à conduire, est-ce que vous ne contrôlez pas votre machine ? Est-ce que vous ne la maîtrisez pas ? Et pourquoi dans tous les domaines, quand vous faites la cuisine, quand vous faites du thé ou du café, pourquoi dosez-vous la chaleur, le sucre et tous les ingrédients ?» Eh bien, apprenez que, en vous, avec vos moteurs, vos appareils, c'est la même chose. Si vous n'êtes pas attentifs, si vous ne vous dominez pas, vous verrez ce qui va vous arriver!

Actuellement, la jeunesse n'a qu'une idée, c'est de faire sauter toutes les barrières morales que les Initiés du passé ont placées pour empêcher les humains de vivre dans les passions et les désordres. Combien de civilisations brillantes ont disparu, ravagées par des maladies morales et physiques, parce qu'elles s'étaient livrées à la débauche ou à des cultes orgiaques! La génération actuelle veut à son tour se libérer de tous les tabous, s'affranchir de toutes les règles pour goûter le plus de plaisir possible, et ce mouvement a pris une telle ampleur qu'on se demande ce qui pourrait l'arrêter.

En réalité, seule la lumière d'un Enseignement initiatique peut retenir les humains dans cette chute vertigineuse. Cette lumière leur montrera qu'en se livrant seulement aux plaisirs, ils sacrifient leurs énergies les plus précieuses. Car pour alimenter ce feu qui les possède, ils sont obligés de lui donner toutes leurs ressources, tous les meubles de la maison, jusqu'aux tables et aux chaises – symboliquement parlant; le plaisir sexuel est un brasier qu'ils sont obligés d'entretenir de la substance même de leur être, impossible de lui offrir les affaires du voisin ou le bois de la forêt : il se nourrit de

leurs propres réserves, de leurs propres combustibles... Pour se maintenir chaque jour
comme ils le font dans ces effervescences et ces
éruptions volcaniques, ils sont obligés de brûler
leurs quintessences. Chaque fois, sans le savoir,
ils perdent une partie de leur beauté, de leur
intelligence, de leur puissance, et à la fin,
quand ils ont tout dépensé, ils se retrouvent
enlaidis, abrutis et malades.

S'il existait une balance dans laquelle
l'homme puisse mettre d'un côté ce qu'il gagne
en goûtant les plaisirs sensuels, et de l'autre ce
qu'il perd en s'y abandonnant, il constaterait
qu'il perd presque tout et ne gagne presque
rien, donc que cela ne vaut pas tellement la
peine. Mais comme il ne pense jamais que les
sensations s'effacent ou s'oublient (ce que l'on
a mangé hier ne compte plus pour aujour-
d'hui), il se prépare une existence de pauvreté.
Tandis que s'il fait un effort pour refuser, il
souffre un moment, mais il se prépare un avenir magnifique. Donc, il perd quelques sensations, mais il gagne son avenir. Ceux qui ne
réfléchissent pas disent : «Je suis content, je me
sens bien!» C'est vrai, mais ils n'ont plus
d'avenir. Prenons l'exemple de l'ivrogne, qui
résume toute une philosophie : il cherche le
plaisir dans le vin, il boit, il est content. Oui,

mais après, s'il continue, comment vont réagir son patron, sa famille, ses amis?... Et il se prépare à tomber dans le ruisseau. Donc, la sensation est agréable, mais elle ne dure pas; l'avenir, c'est le ruisseau.

Vous connaissez le récit de la Bible où Esaü cède son droit d'aînesse à son frère Jacob pour un plat de lentilles?... Pour une sensation, pour un plaisir, il a sacrifié son droit d'aînesse, et Jacob en a profité. Voilà un récit sur lequel on ne s'est pas tellement arrêté pour l'interpréter. La plupart des humains sont des as pour se priver de ce qu'il y a de plus précieux en échange d'un plaisir; alors ça, oui, ils savent le faire, c'est formidable! Quand comprendront-ils la nécessité de se priver de certains plaisirs pour obtenir d'autres acquisitions infiniment plus précieuses?

On ne respecte plus la morale parce qu'on ne sait pas qu'à l'origine elle est fondée sur une science véritable. Aveuglément, stupidement, on veut donner une issue à tous ses caprices, sans savoir qu'on court à la ruine, car lorsqu'on détruit les barrages et les digues, tout est inondé, dévasté, c'est inévitable. Voilà pourquoi je dirai à la jeunesse : «Mes enfants, vous devez apprendre à discerner où vous entraînera chacun de vos désirs». Si vous vous sentez appauvris, affaiblis et malheureux, c'est que vous êtes en train de faire fausse route. Choisissez-en donc une autre ! Ne vous engagez jamais sur une voie pour la seule raison que c'est agréable, sucré, car vous allez vous ruiner spirituellement et même physiquement.

II

Comment remplacer le plaisir
par le travail

La plupart des humains cherchent le plaisir, s'accrochent au plaisir comme s'il n'y avait rien de supérieur à lui. Et c'est là qu'ils se trompent. Je vous le montrerai en vous donnant un petit exemple qui remonte à la préhistoire de l'humanité.

Les allumettes et les briquets sont d'invention récente, pour allumer le feu nos lointains ancêtres avaient plusieurs méthodes. L'une d'elles consistait à se servir de deux morceaux de bois que l'on frottait l'un contre l'autre ; ce frottement produisait d'abord de la chaleur, et après quelque temps, soudain, une flamme jaillissait : la lumière. Vous connaissez tous ce phénomène, mais avez-vous pensé à l'approfondir en vous disant que, puisque c'est un phénomène physique, mécanique, il doit y avoir là de grandes vérités psychologiques à découvrir ? Non, on constate les faits et on les laisse là, vides de sens, sans chercher à les approfondir et à les interpréter.

Allons voir maintenant l'enseignement que nous pouvons tirer de ce phénomène. On prenait donc deux morceaux de bois qu'on frottait l'un contre l'autre. Ce frottement est un mouvement, ce mouvement produit de la chaleur et la chaleur se transforme en lumière. Mouvement, chaleur et lumière sont les trois côtés de ce triangle dont je vous ai souvent parlé et qui représente l'être humain. Au mouvement, on peut associer la volonté, l'activité, la force ; à la chaleur, correspondent le cœur, le sentiment, l'amour ; à la lumière correspondent l'intelligence, la pensée et la sagesse. Mais de même que l'homme arrive à produire la lumière dans le plan physique, il peut aussi la faire jaillir en lui-même, par des actes, par des exercices, il produit une certaine chaleur, il commence à éprouver des sentiments ; et s'il ne s'arrête pas là, s'il sait aller plus loin, il peut arriver enfin jusqu'à la lumière, c'est-à-dire à la compréhension.

Nous allons maintenant étudier ce processus dans le domaine de l'amour. Que font les humains dans l'amour physique ? Symboliquement, on peut dire que, comme les deux morceaux de bois, ils se frottent l'un contre l'autre pour produire la chaleur, c'est-à-dire une sensation de plaisir. C'est très bien, mais pourquoi en restent-ils là? Pourquoi la lumière n'apparaît-elle pas? Pourquoi ne sont-ils pas illuminés? Il fallait que l'amour leur apporte la lumière, il fallait qu'ils comprennent tous les mystères de la création, qu'ils deviennent lucides et clairvoyants! Eh non, ils s'abrutissent plutôt.

Mouvement et chaleur, voilà pour le moment ce que les humains comprennent de l'amour, c'est tout; ils s'arrêtent à moitié chemin, ils ne vont pas jusqu'à la lumière. Pour produire la lumière, il ne faut pas chercher seulement le plaisir, parce que le plaisir absorbe toutes les énergies et empêche la lumière de jaillir. Donc, c'est simple, c'est clair : il ne faut pas s'arrêter en chemin, il faut aller jusqu'au sommet, jusqu'à la lumière. Evidemment, il y a en chemin beaucoup de choses à voir, et des choses très séduisantes, oui, le miroir aux alouettes... mais si on s'arrête là, on n'atteint pas le but. C'est pourquoi je dis aux amoureux : vous avez déclenché le mouvement et ce mouvement a produit la chaleur, c'est bien, mais il faut maintenant aller jusqu'à la lumière, car la lumière est la fin, le but de toute activité.

Presque tous s'arrêtent à moitié chemin

parce que là tout est attrayant, chatoyant...
Mais c'est là aussi qu'on rencontre les sirènes
et on est déchiré. Souvenez-vous de la légende
d'Ulysse : il était sage, Ulysse ; il savait qu'il
rencontrerait des sirènes qui essaieraient de
l'attirer par leur chant pour le dévorer. C'est
pourquoi il a pris des précautions : il a bouché
les oreilles de ses compagnons avec de la cire
pour qu'ils n'entendent pas la voix des sirènes,
sinon ils n'auraient pas pu résister à leur char-
me... Quant à lui, il ne s'est pas bouché les
oreilles car il voulait les entendre, mais il a dit
à ses compagnons : «Ligotez-moi au mât, et si
je vous fais signe de me détacher, serrez les
liens encore plus fort !» Le bateau approchait
de l'île des sirènes et en entendant leurs voix
Ulysse perdit la tête, il voulait aller les rejoin-
dre et il criait : «Déliez-moi ! Libérez-moi !» Il
menaçait même ses compagnons de les tuer
s'ils ne lui obéissaient pas. Mais eux, fidèles à
la consigne, resserraient ses liens... Vous voyez,
les sirènes, c'est la moitié du chemin, et à la
moitié du chemin il ne faut pas s'arrêter. Bien
sûr, tous les charmes et toutes les séductions
sont là, mais il ne faut quand même pas s'arrêter.

Vous connaissez aussi «Parsifal», l'opéra
de Wagner. Parsifal arrive dans une prairie où

se trouvent de jeunes femmes, les filles-fleurs, qui essaient de le séduire, mais derrière ces femmes, ces fleurs, se cachent des serpents... Ces récits, et il y en a beaucoup d'autres dans la littérature mondiale, contiennent de grandes vérités occultes. Ulysse, Parsifal sont des symboles de l'Initié qui rencontre des tentations sur son chemin. Mais il ne doit pas s'arrêter, sinon il perd la vie. Il faut qu'il continue jusqu'au sommet, car une fois arrivé là, il reçoit tout, on lui donne tout : le repos, la nourriture, la beauté, l'amour.

On peut encore présenter cette aventure un peu autrement. Vous avez une mission à accomplir et pour cela vous devez traverser une forêt, mais voilà que dans la forêt il y a toutes sortes de fleurs et de fruits, oui, et surtout des petites fraises... Alors, vous commencez à aller par-ci par-là pour les cueillir sans vous rendre compte que vous perdez beaucoup de temps ; évidemment, elles sont si jolies et appétissantes ! Mais voici que la nuit tombe, vous n'y voyez plus assez pour vous diriger, vous avez perdu votre route ; vous commencez à entendre les cris des animaux, le craquement des arbres et vous êtes effrayé... Eh oui, voilà ce qui arrive aux disciples qui s'arrêtent en chemin à cause des jolies fraises !... Vous dites que vous n'allez jamais ramasser de fraises. C'est possible, mais ces fraises, cela peut être aussi quelques gentilles filles, ou quelques verres au bistrot. C'est symbolique, vous comprenez. Les petites fraises, cela peut être aussi de grandes fraises !

Et le plaisir, justement, ce sont les fraises, les sirènes, les filles-fleurs, et si vous succombez, vous êtes mangé. Par qui ? Par les élémentaux, par les larves, les indésirables, les esprits souterrains. Ils voient que vous êtes en train de donner un festin et ils arrivent. Je vous l'ai déjà expliqué : les échanges entre les hommes et les femmes sont comme des festins qui attirent les esprits du monde invisible. Et lorsque dans ces échanges ils ne cherchent que le plaisir, ils invitent à ce festin toutes sortes d'entités inférieures qui se nourrissent à leurs dépens, tandis qu'eux-mêmes ne cessent de péricliter.

Il y aurait beaucoup de choses à dire sur ces festins. Quand un homme très riche donne une réception, il faut, pour cette réception, une quantité de plats variés, de vins, de fleurs... et puis la vaisselle, l'argenterie, les nappes, les cristaux... Tout cela coûte très cher, et certains se ruinent parfois avec leurs réceptions somptueuses. Eh bien, le même phénomène se produit chez les amoureux quand ils ne sont pas éclairés : ils dilapident leur capital. Malheureusement ils ne le voient pas, ils ne s'aperçoivent pas qu'ils font des dépenses de forces et d'énergies fluidiques, et ils ne savent pas non plus où sont parties ces énergies. Mais quelque temps après, allez les voir ! ruinés, plumés, oui.

Et puis, quand il se donne ces grandes réceptions dont je viens de vous parler, souvent des pick-pockets et des escrocs se glissent parmi les invités et profitent de la présence de toute cette foule pour voler de l'argent, des bijoux, des objets d'art. La même chose se produit chez les amoureux. Au cours de leurs festins, des voleurs s'introduisent en eux, mais des voleurs de la pire espèce, car eux ne prennent pas des objets mais tout ce qui est dans le cœur et dans la tête des maîtres de la maison. Ils volent leurs inspirations, ils volent leurs idées, leurs élans, leurs projets ; et une fois qu'ils sont ainsi dépouillés, ces deux pauvres malheureux n'ont plus le même enthousiasme, le même désir de connaître les secrets de l'univers... Non, ils ont maintenant d'autres désirs tout à fait prosaïques. Eh oui, il faut étudier, il faut observer, et par la loi de l'analogie, savoir interpréter tout ce qui se passe dans l'existence.

Mes chers frères et sœurs, je vous amène vers les vérités que l'Intelligence cosmique m'a révélées. J'ai étudié et observé les humains, et j'ai vu que ce que je vous dis là est absolu. Quand ils sont seulement sous l'influence du désir, du plaisir, l'homme et la femme introduisent des voleurs chez eux. Il faut donc qu'ils aient un but plus élevé pour faire jaillir la lumière. La lumière peut leur conseiller les mêmes festins, les mêmes invitations, mais au lieu d'attirer tous les indésirables du plan astral, ils inviteront les anges et les divinités à se réjouir avec eux. Et quand ces entités célestes repartiront, elles leur laisseront des cadeaux ; c'est ainsi qu'ils recevront cent fois plus qu'ils ne leur avaient donné. Là, il n'y aura pas de pertes, au contraire, il y aura des révélations, des ravissements, des élans... et ils rajeuniront, ils ressusciteront...

Ce n'est pas en se vautrant dans le plaisir que les humains trouveront la solution au problème sexuel. Car le plaisir n'est que la moitié du chemin et, s'ils en restent là, peu à peu ils se sentiront attachés, ligotés, ils perdront toute leur liberté, leur légèreté. Quand il est tombé trop d'humidité sur les ailes d'un papillon, il ne peut plus voler. Alors voilà, c'est cela le plaisir : trop d'humidité ! Quand je vois un homme que ses ailes ne peuvent plus porter (symboliquement parlant) je n'ai pas besoin de lui demander où il est allé se fourrer, je sais qu'il a exposé ses ailes à l'humidité. L'humidité, c'est très clair pour moi : elle empêche de voler. Et pour sécher à la lumière, il faut beaucoup de temps. C'est pourquoi, attention, ne vous laissez pas tromper par le plaisir qui vous arrêtera en chemin... Allez jusqu'à la lumière !

Mais comprenez-moi bien : je n'ai jamais dit que les hommes et les femmes ne devaient pas se donner beaucoup d'amour. Si, ils doivent se donner beaucoup d'amour, mais un amour plus élevé, plus lumineux. C'est-à-dire qu'au lieu de se contenter d'échanges dans le plan physique, s'exciter, se satisfaire et ensuite ronfler, ils doivent être conscients de l'importance et même de la valeur sacrée de l'acte sexuel. Mais non, tous sont pressés, pressés de s'enfoncer dans les marécages, ils n'ont pas le temps de réfléchir.

Regardez comment cela se passe ordinairement : ces gestes tellement saccadés et fébriles, ce regard assombri de sensualité... L'homme veut s'assouvir, manger, déchirer, et à cet instant-là, la femme qui est tellement bête, se sent heureuse en voyant dans le regard de l'homme le désir de la dévorer ! Elle devrait plutôt être effrayée de ce qui l'attend, parce que ce regard montre que l'homme est prêt à la saccager, à tout lui prendre; mais elle aime ça, elle ne demande que ça. Et même, s'il la regarde avec respect et émerveillement, avec une grande lumière et une grande pureté, elle n'est pas tellement contente: «Celui-là, pense-t-elle, je ne peux rien attendre de lui», et elle l'abandonne. Instinctivement la femme aime se sentir comme une pâte dans les mains d'un boulanger, retournée, malmenée, tourmentée, ça lui plaît, tandis que le respect et les regards célestes ne lui disent pas grand-chose. Il y a des exceptions, mais, en général, c'est tellement vrai!

Vous direz: «Mais alors, on ne doit jamais avoir de plaisir?» Si, mais il faut rechercher un plaisir beaucoup plus subtil, beaucoup plus spirituel. Le plaisir tel qu'on le comprend pour le moment finit toujours par se transformer en poison et en amertume. Quand on coupe un morceau de plomb, il brille quelques instants, et ensuite il se ternit. Voilà à quoi ressemble le plaisir: au plomb. Pour que votre plaisir reste aussi brillant et résistant que l'or, vous devez l'ennoblir, c'est-à-dire lui ajouter un autre élément: la pensée. Mais pour cela, il faut remplacer l'idée de plaisir par l'idée de travail.

Le travail, c'est quand l'homme décide de ne plus gaspiller ses énergies à la recherche du

plaisir, mais de les utiliser pour faire fonction-
ner d'autres centres, en haut, dans son cerveau... Au lieu de laisser se déchaîner en lui
tous les tourbillons et les éruptions volcaniques, il garde sa lucidité pour canaliser ces cou-
rants et les diriger, afin d'éveiller de nouvelles
facultés qui feront de lui un génie, un Initié,
une divinité. Voilà comment il transforme la
chaleur en lumière : en remplaçant le plaisir
par le travail, et c'est à ce moment-là que le
véritable plaisir commence à l'envahir : un
plaisir qui ne l'avilit pas, cette fois, mais qui
l'élève et l'ennoblit.

Bien sûr beaucoup prétendront que la lucidité tue le plaisir. Non, en réalité la pensée a
été donnée à l'homme pour mieux vivre le véritable amour ; sans elle, la part animale, primi-
tive étendrait sur lui toute sa puissance. C'est la
pensée justement, c'est l'intelligence à travers
la pensée qui doit contrôler, orienter, sublimer
les énergies. Si dans votre amour vous gardez la
pensée lucide, si elle veille, surveille, contrôle,
dirige les forces, évidemment vous ne ressenti-
rez pas un plaisir tel que beaucoup de gens
l'entendent, c'est-à-dire animal, grossier, épais,
dénué de noblesse, de spiritualité et d'ailleurs
incontrôlable, mais grâce à votre pensée, vous
pourrez faire un travail spirituel, et au lieu de

se transformer en plomb, ce plaisir se transformera en or pur, en ravissement, en extase.

Le plaisir est la conséquence d'un acte qui est plus ou moins en harmonie avec d'autres substances, d'autres présences. Donc, si un acte est en harmonie parfaite avec le monde divin, le plaisir qui en découle est élargi et multiplié jusqu'à l'infini. Pour le moment, vous éprouvez un certain plaisir, mais il est tellement grossier, inférieur, et vous devez le payer si cher que ça n'en vaut pas la peine. Il faut éprouver du plaisir, oui, mais un plaisir tellement élargi et subtil qu'il vous révèle tout l'univers, qu'il vous rende lumineux, beau, expressif, puissant et utile !... Un plaisir pareil, oui, ça vaut la peine, et la nature ne vous en privera pas.

Voilà, mes chers frères et sœurs, il ne faut pas s'arrêter en chemin, il faut dépasser la limite du plaisir, cesser de stagner à ce niveau trop bas : il faut monter, percer les nuages jusqu'à contempler le soleil, la lumière. Ne restez pas sous les nuages : mettez dans toutes vos actions un but lumineux. Quoi que vous fassiez, que vous mangiez, que vous vous promeniez ou que vous embrassiez quelqu'un, ayez pour but la lumière. Ne faites rien uniquement pour votre plaisir. L'humanité dégringole justement parce que tous se laissent guider par le plaisir. Vous me direz : «Mais si on n'éprouve plus aucun plaisir à faire les choses, ça n'a plus aucun sens!» Si, car tout marche ensemble : dès que la lumière et la chaleur sont là, c'est-à-dire l'intelligence et l'amour, le plaisir suit obligatoirement. C'est seulement la qualité du plaisir qui change, sa nature, son intensité. Donc, méditez, réfléchissez et n'oubliez jamais que votre amour doit vous amener jusqu'à la lumière.

V

LES DANGERS DU TANTRISME

Il existe une science de la sublimation de la force sexuelle que l'on appelle, dans l'Inde et au Tibet, Tantra-yoga. Elle comprend toutes sortes de méthodes et je vous parlerai de l'une d'elles pour vous donner un aperçu de cette science. Pendant des années, le yogi étudie ce qu'est l'amour, il médite, il jeûne, il fait des exercices de respiration. Quand il s'est bien préparé, on lui choisit une jeune femme, instruite elle aussi dans ces pratiques, et il commence à habiter pendant quatre mois dans la même chambre qu'elle : il se met entièrement à son service en la divinisant, en pensant qu'elle est une manifestation de la Mère Divine ; mais il ne la touche pas. Ensuite, ils commencent à dormir dans le même lit : pendant quatre mois la femme s'étend au côté droit de l'homme, puis quatre mois à son côté gauche, et là encore ils ne se touchent pas. Enfin quand ils ont acquis la plus grande maîtrise, ils commencent à s'embrasser et même à se fusionner, mais dans une telle pureté que cette fusion peut durer des heures sans la moindre émission de la part de l'homme.

Evidemment très peu de gens peuvent avoir une idée de ce que cela représente, car en général, à peine sentent-ils le désir sexuel s'éveiller, qu'ils se précipitent pour lui donner une issue. D'après la science tantrique, le gaspillage de cette quintessence, c'est la mort, alors que sa sublimation est la vie éternelle. C'est ainsi que certains Initiés ont obtenu l'immortalité ; eh oui, ce ne sont pas des mots, ils devenaient immortels.

Pour pouvoir sans danger se plonger dans l'amour physique et affronter les instincts, les passions, la sensualité, l'océan des plaisirs, il faut être très fort, très pur. Ceux qui en sont capables rapportent de ces profondeurs des perles précieuses, comme les pêcheurs qui plongent dans l'océan pour ramener des huîtres perlières sans rester prisonniers des algues ni être mangés par les requins. Mais ces expériences ne sont pas à conseiller à tous. Il faut être maître de cette force formidable pour oser l'affronter, et moi je ne vous conseille pas de commencer à pratiquer ce yoga, je vous en expose seulement quelques aspects.

Ce n'est que si vous êtes allé très haut, dans la superconscience, goûter cet amour qui est diffusé dans tout l'univers et qui est la quintessence de Dieu Lui-même, que vous pouvez tout vous permettre sans danger ; à ce moment-là, rien ne peut vous nuire ou vous salir, vous ne pouvez commettre aucun péché. Mais si vous n'êtes pas arrivé jusque-là, tenez-vous tranquille ! Il n'y a que très peu d'êtres sur la terre qui peuvent se permettre de descendre jusque dans les profondeurs de leur nature pour tout transformer, tout sublimer, tout rendre lumineux et beau. Et c'est cela justement que l'on appelle «joindre les deux bouts», c'est-à-dire le haut et le bas, le supérieur et l'inférieur. Mais si, sans avoir pu arriver jusqu'au monde supérieur, vous entreprenez de descendre, le monde inférieur vous anéantira, parce que vous n'êtes ni protégé ni armé et que vous ne possédez aucun appareil pour transformer les matériaux de l'Enfer en perles, en or ou en pierres précieuses.

Voilà le mystère du mal et de l'Enfer. C'est seulement quand on arrive jusqu'au sommet qu'on peut comprendre le sens du mal. Jusque-là, le mal est indéchiffrable, incompréhensible, insoluble. On ne peut résoudre le problème du mal par le raisonnement, par des études, des lectures ; le problème du mal est bien au-dessus de l'entendement humain. En réalité, le mal n'existe pas. Le mal est mal seulement pour les faibles. Pour ceux qui ne sont pas préparés, qui ne savent pas s'en servir, le mal existe, c'est une réalité très puissante. Mais pour les fils de Dieu, pour les grands Maîtres, le mal, dont la religion chrétienne a tellement parlé sans le comprendre, est une matière précieuse, riche, qu'ils exploitent et dont ils se servent pour leur travail.

Lorsque j'étais en Inde, j'ai rencontré certains yogis qu'on appelle des siddhas. Ce sont des êtres pour qui rien n'est sale ni impur ; ils se nourrissent de déchets, de tripes d'animaux, d'excréments, de n'importe quoi, parce qu'ils ont la volonté de tout transformer pour obtenir des pouvoirs magiques formidables ; ils les obtiennent vraiment, j'ai pu le vérifier. Seulement, à mon avis, il n'est pas nécessaire d'utiliser des méthodes aussi bizarres et inesthétiques.

Donc, en ce qui concerne les techniques tantriques, je ne suis pas tellement d'accord avec elles, surtout si elles doivent être pratiquées par des Occidentaux. Pour sublimer la force sexuelle l'Enseignement de la Fraternité Blanche Universelle donne d'autres méthodes, et quand vous les connaîtrez, vous verrez que cet Enseignement dépasse de très loin toutes les traditions chrétiennes de pureté et de chasteté soi-disant, qui finissent par faire de l'homme une sorte d'eunuque, comme il dépasse aussi ces doctrines qui, sous prétexte de tantrisme, entraînent les gens dans toutes sortes d'excès sexuels. Au siècle dernier, il y a eu en Angleterre un occultiste, Aleister Crowley, qui, voulant faire des expériences semblables à celles des Tibétains, s'est enfoncé dans la magie noire et a fini par rendre folles certaines femmes avec lesquelles il faisait ses expériences. Il avait des pouvoirs, bien sûr, mais à quel prix il les a obtenus !

C'est pourquoi je ne vous conseille pas de vous aventurer dans ces expériences, car vous y laisserez des plumes. Pour pratiquer le tantrisme, il faut être très exercé, très maître de soi, et même alors c'est extrêmement risqué. Si vous êtes vraiment décidés à sublimer la force sexuelle, la meilleure solution est de garder certaines distances et de ne prendre de l'amour que des doses homéopathiques, c'est-à-dire arriver, dans vos relations avec les hommes et les femmes, à vous contenter d'un regard, d'un sourire, de quelques paroles, d'une poignée de mains. Si vous désirez raccourcir la distance, vous rapprocher, vous fusionner, c'est beaucoup plus difficile : une fois plongés dans le feu, vous ne pourrez plus vous contrôler, vous ne serez plus maîtres de vos énergies, et inutile à ce moment-là de parler de tantrisme !

VI

AIMEZ SANS ATTENDRE D'ÊTRE AIMÉS

Je vous l'ai dit, je connais les méthodes du Tantra-yoga, mais je suis allé plus loin. Je ne trouve pas nécessaire, pour sublimer la force sexuelle et obtenir une parfaite maîtrise de soi, de faire toutes les expériences décrites dans les ouvrages de tantrisme hindou ou tibétain. Il existe un autre Tantra-yoga qui les dépasse et dont je suis partisan.

Une des méthodes de ce tantrisme est d'apprendre à aimer sans attendre d'être aimé, car alors, vous êtes libre et vous pouvez faire beaucoup avec cette liberté. Malheureusement les humains ne tiennent pas à la liberté, ils ne la cherchent pas ; au contraire, ils cherchent à s'enchaîner, la liberté leur pèse, elle les ennuie, ils ne savent qu'en faire. Tandis qu'avec la contrainte, les coups même, là au moins il y a de quoi s'occuper... Oui, souffrir, pleurer... Seuls les grands Maîtres ont résolu le problème : ils

ne se préoccupent pas de savoir si on les aime
ou non, ils font comme le soleil qui envoie sans
cesse son amour à toutes les créatures. Cela ne
les intéresse pas de savoir sur qui cet amour
peut tomber – personne et tout le monde. Ce
qui les intéresse, c'est que cette énergie divine
passe à travers eux et qu'ils se sentent dilatés,
émerveillés, inspirés, ce n'est que cela qui
compte.

Beaucoup sont venus me présenter ce problème : ils aimaient un homme ou une femme
qui, d'une façon ou d'une autre, s'est éloigné
du bon chemin : est-ce qu'ils doivent continuer
à l'aimer ? Bien sûr, l'amour que l'on a pour un
être produit toujours sur lui certains effets
bénéfiques dans les régions subtiles, et l'aimer
est donc une façon de l'aider. Mais d'un autre
côté, il est préférable de ne pas consacrer trop
de temps et d'énergies à quelqu'un qui n'en
vaut pas la peine. La seule chose importante,
c'est d'aimer, et si ce n'est pas tel homme ou
telle femme, que ce soit d'autres personnes, le
monde entier, pour que la source continue à
couler. Sur qui elle coule, ce n'est pas important ; elle ne doit pas s'arrêter de couler, c'est
tout, sinon c'est à soi-même que l'on fait du
mal : on n'est plus inspiré, on a les ailes cou-
pées. Pour aimer de nouveau, il ne faut pas

attendre de tomber sur une autre frimousse attirante, sinon là encore c'est le commencement de la fin !

Mais pour comprendre ce que je dis, il faut savoir que l'amour, le véritable amour, est au-dessus de l'attraction sexuelle et même au-dessus du sentiment. Le véritable amour est un état de conscience. L'attraction est un phénomène qui ne peut pas se produire à l'égard de toutes les créatures, car c'est une question de longueurs d'onde, de vibrations, de fluides, elle dépend donc d'éléments purement physiques.

Le sentiment est déjà supérieur à l'attraction, car il peut être inspiré par des facteurs d'ordre moral, intellectuel, spirituel. Mais le sentiment est aussi variable : un jour on aime, le lendemain on n'aime plus. Allez voir si les sentiments des humains à l'égard de leur mari, de leur femme, de leurs enfants, de leurs amants, de leurs maîtresses ou de leurs amis sont stables ! Tandis que l'amour vécu comme un état de conscience est au-delà des circonstances et des personnes. C'est l'état d'un être qui s'est tellement purifié, qui a tellement développé sa volonté qu'il a réussi à s'élever jusqu'aux régions sublimes de l'amour divin, et alors quoi qu'il fasse, qu'il mange, qu'il se promène, qu'il travaille, qu'il rencontre des êtres humains, il sent cet amour en lui et il en dispose pour aider toutes les créatures.

Pour arriver à cet état de conscience il faut apprendre à se maîtriser, afin que rien ne puisse se faire en dehors de votre décision, de votre volonté. Vous voulez embrasser une fille... eh bien, oui, vous pouvez le faire, mais seulement quand c'est vous-même qui le décidez, et vous n'avez pas le droit de le décider avant de vous être purifié pendant de nombreuses années pour ne laisser aucune tache sur elle, sinon le monde invisible qui vous juge vous condamnera. Vous n'avez le droit d'embrasser quelqu'un, d'avoir des échanges physiques avec lui que si vous êtes arrivé à ce degré d'élévation où vous ne lui laissez que la vie, la lumière, des éléments qui doivent continuer à agir sur lui pour son bien.

Le jour où vous arriverez à sentir l'amour comme un état de conscience, votre amour sera inchangeable. Mais c'est une idée encore tellement éloignée de vous ! L'humanité tout entière est dans le variable : on aime, puis on n'aime plus : et ce n'est pas seulement vrai pour les créatures, mais pour les objets, les occupations. La stabilité n'est pas la qualité la plus répandue parmi les humains.

Et même vous, vous venez par exemple au

lever du soleil : les premiers jours vous êtes exaltés, émerveillés, mais après quelque temps cela devient automatique, vous avez perdu votre premier amour. Pour éviter que cela ne se produise, il faut s'habituer à tout faire comme si on le faisait pour la première fois : aller chaque matin à la rencontre du soleil comme si c'était la première fois... voir chaque jour sa femme ou son mari comme si c'était la première fois, et même après cinquante ans se sentir émerveillé comme au premier jour. Vous direz que ce n'est pas possible. Si, c'est possible, si on est arrivé à vivre l'amour comme un état de conscience, c'est possible ; à condition de ne plus ressentir l'amour comme un sentiment ou une attraction, mais de le vivre comme un état de conscience, c'est possible.

Beaucoup d'artistes ont cherché volontairement à multiplier leurs expériences amoureuses parce qu'ils se rendaient compte que l'amour entretenait leur inspiration. Malheureusement cet amour tellement sensuel, égoïste, capricieux, qui était la source de quelques inspirations, c'est vrai, était surtout la cause des plus grands désordres. L'amour, c'est comme le vin : il vous donne l'ivresse, mais l'ivresse qu'on est allé chercher dans les régions inférieures entraîne la même déchéance physi-

que et morale que l'abus de l'alcool. Savoir
aimer est la plus grande victoire, car le véritable amour ne peut jamais vous détruire, au
contraire.

Comprenez désormais que le seul remède
aux problèmes de l'amour, c'est justement
l'amour. Beaucoup sont venus auprès de moi
se plaindre de certains malaises, de certains
déséquilibres, et je leur dis: «Pourquoi vous
êtes-vous arrêté d'aimer? Ces troubles viennent
de ce que vous avez comprimé l'amour en
vous; alors il s'est refoulé et il a tout saccagé.
L'amour est un torrent formidable mais vous
ne le saviez pas, vous n'étiez pas éclairé et il a
emporté toutes les barrières. Si vous voulez
vous sauver de ces tourments, il faut aimer,
aimer jour et nuit, aimer toutes les créatures...
il ne restera même plus de temps ensuite pour
être tourmenté, vous serez tellement occupé!
Tandis que maintenant, plus vous vous renfer-
mez, plus vous êtes avare d'amour, et plus les
choses se compliquent. Soyez généreux, mon
Dieu, et vous serez sauvé; donnez votre amour
à toutes les créatures. Moi, c'est ce que je fais,
j'ai trouvé le secret. Evidemment, je passe pour
un peu bébête et tout le monde dit: «Oh! le
pauvre, avec son cœur...» Mais justement, avec

mon cœur j'ai trouvé le secret que vous n'avez pas encore trouvé avec votre intellect formidablement développé.»

Vous devez vous émerveiller et remercier chaque jour le Ciel de ce qu'il existe sur la terre des millions de jolies femmes que vous n'avez pas encore eu le bonheur de connaître et de contempler, et des millions d'hommes intelligents et forts que vous n'avez pas encore eu l'occasion de rencontrer! Vous devez penser à cela et vous réjouir... Vous réjouir rien que de leur existence et de l'idée qu'un jour vous pourrez les voir, leur parler, les admirer. Vous êtes étonnés, vous n'êtes pas habitués à vous réjouir pour des idées pareilles?... C'est vrai, c'est une façon de penser très inhabituelle, mais tellement efficace! Acceptez-la et vous en verrez les résultats.

Vous direz: «Oui, mais ce que vous nous prêchez là va contre toutes les règles de la morale. Si tous les hommes se mettent à aimer toutes les femmes et réciproquement, il n'y aura plus de famille.» Mais si, il y aura une grande famille, voilà tout. Est-ce que c'est tellement mauvais?... Comprenez-moi bien, quand je dis que les hommes doivent aimer toutes les femmes et les femmes aimer tous les hommes, cela ne signifie pas qu'ils doivent multiplier les expériences et que le mari doit être infidèle à sa femme et la femme à son mari. Non, il faut être fidèle, mais il faut savoir aussi qu'un seul homme, une seule femme ne pourra jamais tout vous donner, et que vous-même ne pourrez jamais non plus tout donner à votre mari ou à votre femme. C'est pourquoi il faut vivre ensemble, travailler ensemble, mais aimer le monde entier, sourire au monde entier et laisser aussi l'autre libre de le faire. Oui, s'aimer, être ensemble, ne pas se séparer, mais élargir sa conception de l'amour. Ainsi les maris et les femmes apprendront à se contenter de joies aussi subtiles.

L'amour restera une question éternellement posée à l'humanité. La seule variation résidera dans la façon de le comprendre et de le manifester. Dans l'avenir chaque être humain apprendra à aimer toutes les femmes, tous les hommes, l'immensité, à remplir son cœur et son âme de cette splendeur du Ciel : il n'y aura plus de place dans son amour pour un élément égoïste, personnel et limité.

VII

L'AMOUR RÉPANDU PARTOUT
DANS L'UNIVERS

Si vous demandez à un homme ce qu'il aime chez telle femme, il vous répondra que c'est sa poitrine, ou ses jambes, ou sa bouche, ses cheveux, ses yeux... Oui, la nature utilise ces formes attirantes, appétissantes dans un but déterminé ; comme elle veut éviter la disparition de l'espèce humaine, elle a donc créé ces jolies jambes et ces cheveux pour pousser les hommes et les femmes à peupler la terre. Mais les formes ne sont que l'apparence ; et les amoureux ne savent pas très bien qu'en réalité, ce qui les attire est quelque chose de mystérieux qui se trouve au-delà des formes : une émanation, un fluide ; et lorsqu'il n'y a plus cette émanation ou ce fluide, ils ne se sentent plus attirés. Pourquoi souvent n'est-on pas attiré par les femmes les plus jolies et les mieux faites ? On les admire, mais on ne les cherche pas, on n'est pas amoureux d'elles. Tandis que d'autres filles qui ne sont pas tellement jolies ni bien faites produisent un effet extraordinaire.

Cela prouve que l'attraction ne dépend pas seulement des formes, de la beauté, de la symétrie du corps, mais d'un autre élément spirituel, magique. C'est pourquoi les gens disent que c'est un phénomène inexplicable. Si, c'est explicable, mais pour ceux qui savent. Et maintenant cette vibration, ce fluide qui vous rend heureux, qui vous donne la plénitude, est-ce qu'on ne peut le trouver que chez un homme ou une femme? Non, on peut aller le chercher dans la région d'où il est venu. Car il vient d'ailleurs, ce n'est pas la personne qui l'a fabriqué, il vient d'une source, d'un Créateur qui le distribue. Et même, c'est dommage, la plupart du temps on se détourne de cette source immense et inépuisable, et on va le chercher chez les hommes et les femmes où on ne peut en trouver que quelques particules.

Oui, c'est l'amour que l'on cherche, ce n'est pas un homme ou une femme. La preuve, c'est qu'un homme abandonne sa femme (ou une femme son mari) parce qu'il a trouvé l'amour ailleurs, chez une autre femme. Ce n'était donc pas la femme qu'il cherchait, mais l'amour. Et s'il ne le trouve pas encore chez cette femme, il ira le chercher chez une troisième... une quatrième... C'est l'amour qui compte, l'amour, pas la femme ni l'homme, sinon ils ne se quitteraient jamais.

En réalité, l'amour existe partout dans l'univers. C'est un élément, une énergie qui est distribuée dans le cosmos tout entier et que les humains peuvent recevoir par leur peau, leurs yeux, leurs oreilles, leur cerveau... L'amour est partout, et c'est une plante qui me l'a révélé, car, je vous l'ai dit, je m'instruis auprès des pierres, des plantes, des insectes, des oiseaux... Un jour, à Nice, j'ai vu une plante qui vivait suspendue dans l'air ; elle puisait l'eau et la nourriture dans l'atmosphère. Je l'ai longuement regardée, et elle m'a dit : «Du moment que j'ai réussi à trouver l'élément qui m'est indispensable – mon amour – dans l'air, pourquoi devrais-je m'enfoncer dans la terre comme le font mes compagnes ? Moi, j'ai trouvé un secret : je puise tous les éléments de ma subsistance dans l'air.» Alors, j'ai médité sur cette plante et j'ai compris que les humains sont, eux aussi, construits pour arriver à puiser l'amour dans l'atmosphère et dans le soleil. Mais pour cela ils doivent apprendre à développer ces centres supérieurs que l'on appelle dans l'Inde les chakras.

L'amour est une énergie, un fluide, une

quintessence qui existe partout dans l'univers : dans les océans, dans les rivières, sur les montagnes, les rochers, l'herbe, les fleurs, les arbres, la terre, et surtout dans le soleil. L'amour est une énergie cosmique d'une abondance et d'une diversité inouïes. Dieu qui est tellement généreux n'a jamais décidé que les humains ne pourraient le trouver que dans certains endroits du corps des femmes et des hommes. Sinon, quelle avarice de sa part ! Dieu est beaucoup plus généreux, beaucoup plus large, Il a distribué l'amour dans toute la nature. Les ignorants qui ne vont le chercher que chez l'homme ou la femme ne le trouvent pas toujours, tandis que les Initiés, qui vont le chercher dans l'espace, n'en sont jamais privés. Mais depuis des millions d'années les humains sont habitués à considérer les choses autrement et ils ne peuvent pas croire qu'il est possible de vivre et d'aimer sans plonger ses racines dans le sol.

Vous cherchez l'amour, bon, mais vous le cherchez toujours là où le monde entier le cherche, dans ces endroits connus, héréditaires, fantastiques paraît-il, et voilà qu'il n'est pas là en plénitude. Il y est un tout petit peu, oui, mais à peine quelques particules qui ne sont pas suffisantes pour nourrir et désaltérer vrai-

ment ceux qui voudraient boire l'océan tout
entier. Alors, les assoiffés doivent aller le chercher encore ailleurs.

Pourquoi faut-il attendre de trouver un
homme ou une femme pour sentir l'amour? Voilà d'où naissent les limitations, les malheurs, les difficultés, la dépendance. Les vrais
grands Maîtres eux-mêmes ne peuvent pas
vivre privés d'amour, mais ils le cherchent, le
trouvent et le recueillent dans l'espace, et
ensuite ils le distribuent partout autour d'eux.
Ils sont sans cesse plongés dans l'amour : ils
respirent l'amour, ils mangent l'amour, ils con-
templent l'amour, ils pensent à l'amour sans
arrêt. C'est pourquoi ils n'ont pas besoin
d'attendre qu'une femme le leur donne : ils
l'ont déjà, il est là, il les remplit, c'est formidable! Alors pourquoi le chercher ailleurs? Pourquoi détruire ces sensations de plénitude pour
aller se mettre des charbons ardents sur la tête?

Je ne suis pas contre l'amour, au contraire,
je dis seulement qu'il faut apprendre à le trouver partout, car l'amour est partout. Comme la
rosée. Qu'est-ce que la rosée? C'est de l'eau
vaporisée partout dans l'atmosphère et qui ne
devient visible que lorsqu'elle se condense le
matin sur les plantes. Eh oui, voilà, la rosée
n'est rien d'autre qu'une sorte d'amour con-

densé... Et les rayons du soleil? une sorte
d'amour projeté... Tout est amour dans la
nature!

La source, la vraie source de l'amour, c'est
Dieu. Mais n'y a-t-il pas, plus près de nous,
une merveilleuse image de la source divine? Si,
le soleil, qui est aussi une source tellement
immense et généreuse! Regardez, toute la création bénéficie de sa présence, car c'est lui qui,
par son amour, infuse la vie dans les herbes, les
plantes, les arbres... Les végétaux sont conti-
nuellement exposés à sa lumière et c'est d'eux
que nous recevons ensuite la vie. C'est pourquoi le disciple qui souhaite connaître ce qu'est
la véritable vie, le véritable amour divin, va
vers la source, vers le soleil, et en le regardant,
en méditant, en l'aimant, en le faisant pénétrer
de plus en plus en lui-même, comme un fruit
exposé au soleil, il recueille ces particules de
vitalité qu'il peut ensuite distribuer à d'autres
pour les vivifier, les éclairer. C'est cela le véritable amour, et pas seulement d'embrasser les
hommes ou les femmes et de coucher avec eux.

Pour l'instant le soleil ne vous dit rien, mais
vous verrez, quand vous aurez versé trop de
larmes et perdu trop de plumes, vous commen-
cerez enfin à chercher cet amour du soleil, car
lui, au moins, ne vous fait pas souffrir, il ne

vous prend rien, au contraire, il vous donne !
Mais je sais pourquoi les hommes et les femmes ne cherchent pas l'amour dans le soleil :
c'est parce qu'on ne souffre pas auprès de lui,
et eux, ils ont besoin de souffrir. Mais oui !
Alors, pour trouver ces souffrances, ils vont
chercher des hommes ou des femmes. Là, au
moins, c'est sûr qu'ils en trouveront, et des
complications et des embêtements... Tandis
qu'auprès du soleil, jamais... Sauf si vous êtes
sans chapeau, à ce moment-là, gare à l'insola-
tion !

Maintenant, comprenez-moi bien, ce que je
dis là ne signifie pas que je condamne les rapports sexuels. Mon rôle est beaucoup plus difficile que vous ne pouvez le penser. Je suis un
instructeur, un guide spirituel, et si j'expose
cette question comme je le fais, c'est pour ceux
qui sont capables d'aller plus loin dans la compréhension de l'amour. Mais les autres, mon
Dieu, qu'ils fassent ce qu'ils peuvent.

Quand je vois quelqu'un qui est construit
comme un mastodonte, je ne lui dis pas de
vivre comme un ascète ; je ne suis pas fanatique. Je sais que la question de l'amour et de la
sexualité doit être résolue pour chacun d'après
sa nature. Donc, ceux qui ont les possibilités de

se perfectionner, je dois les aider, leur donner des méthodes, sinon ils se laisseront égarer et c'est dommage. Combien de gens j'ai vus qui cherchaient quelque chose sans savoir eux-mêmes ce qu'ils cherchaient, et comme personne n'était capable de les éclairer, ils finissaient par s'égarer.

Mais ceux qui sont mariés ont des devoirs, le mari envers la femme, et la femme envers le mari. J'ai toujours dit que sur cette question des rapports sexuels, les couples devaient prendre les décisions ensemble. Je dis bien : pas séparément, ensemble. Malheureusement, ce n'est pas souvent ainsi que les choses se passent. Ou c'est la femme qui est malheureuse parce que son mari décide brusquement de vivre comme un ascète et la regarde comme une incarnation du Diable, ou c'est le mari qui souffre parce que sa femme fait la sainte-nitouche. Il est souhaitable que, même mariés, les hommes et les femmes puissent spiritualiser, sublimer leur amour, mais avec le consentement l'un de l'autre.

Comme on comprend toujours très mal, on ne sait pas comment s'y prendre. D'abord, je répète, il faut que les deux, le mari et la femme, soient d'accord ; et ensuite, ils doivent aller progressivement, ne pas vouloir cesser toute relation brusquement, d'un seul coup, parce qu'ils tomberont malades. Imaginez quelqu'un qui fume quatre paquets de cigarettes par jour : s'il s'arrête brusquement de fumer, il va tellement souffrir que ce sera infernal. Mais s'il s'y prend progressivement, son organisme s'adaptera, et un jour, il pourra même s'arrêter complètement de fumer sans en souffrir. Eh oui, pour tout il faut savoir comment procéder.

Evidemment je ne suis pas assez naïf pour croire que ce que je dis s'adresse à tout le monde. Sur des millions et des millions d'hommes, à peine y en a-t-il deux ou trois qui sont préparés pour comprendre vraiment ce qu'est l'amour, et le vivre. Vous voyez, c'est la réalité, la triste réalité. Mais ce n'est pas une raison maintenant pour ne pas éclairer ces deux ou trois afin qu'ils puissent prendre courage, confiance et force, au lieu de douter, d'hésiter, et de retourner en arrière se joindre à la foule de tous ceux qui sont faibles, primitifs et sensuels. Je suis obligé de parler non pas pour le monde entier, mais pour quelques-uns qui cherchent des chemins nouveaux.

VIII

L'AMOUR SPIRITUEL,
UNE FAÇON SUPÉRIEURE DE SE NOURRIR

Pourquoi les hommes et les femmes se cherchent-ils ? C'est la faim qui les pousse. Ils ont faim et ils veulent manger. En effet, l'amour est une nourriture, une boisson ; il est comparable au pain, à l'eau, au vin... Aimer, c'est exactement comme se nourrir : ce sont les mêmes lois, les mêmes processus. C'est pourquoi je vous l'ai toujours dit, si vous n'avez pas compris les processus de la nutrition, vous ne comprendrez pas non plus ceux de l'amour. Tant que vous considérez qu'il faut manger uniquement pour nourrir votre corps physique parce que vous avez faim ou que vous aimez manger, sans faire aucun travail pour capter les particules éthériques de la nourriture, vous ne serez pas non plus capable de prendre ces particules éthériques chez les hommes et chez les femmes que vous rencontrerez ; vous serez obligé de faire avec eux des échanges grossiers : vous

serez obligé de vous nourrir comme une chenille au lieu de vous nourrir comme un papillon. Oui, regardez la leçon que nous donne la
nature par la métamorphose de la chenille en
papillon.

La chenille est laide, boursouflée, elle se
déplace lourdement et personne n'a tellement
envie de la regarder. Comme chaque créature,
bien sûr, elle a besoin de manger, et voilà
qu'elle a un grand appétit pour les feuilles ! Elle
n'aime ni les fleurs ni les fruits, mais les feuilles
qui sont absolument indispensables à l'arbre,
car c'est par les feuilles que l'arbre transforme
la lumière du soleil. Donc, en mangeant les
feuilles, la chenille porte préjudice à l'arbre qui
ne peut plus produire de fleurs ni de fruits, et
c'est pourquoi dans les champs et les jardins les
hommes font tout pour la détruire. Voilà donc
la vie de la chenille...

Mais un beau jour, on ne sait pourquoi, la
chenille commence à se rendre compte que
cette vie n'est pas tellement fameuse. Elle voit
passer dans le ciel des papillons tellement jolis,
colorés, légers, auprès desquels elle se sent laide et dégoûtante ; elle comprend aussi qu'elle
est nuisible et que c'est la raison pour laquelle
les hommes veulent la détruire. Alors, elle
décide de changer, de devenir quelque chose de

mieux, et elle entre en méditation... Elle commence par préparer un cocon, parce qu'elle a besoin d'être tranquille, et pour cela elle sécrète un liquide qui, en se solidifiant, devient un fil résistant... et voilà la soie! La soie est une production de la chenille, et si elle est si précieuse, c'est certainement parce qu'elle a été préparée dans un état méditatif et spirituel!... En tout cas, les vêtements de soie sont une très bonne protection contre les mauvais fluides, et les vêtements de lin aussi d'ailleurs.

Donc, la chenille entre dans une méditation profonde... tellement profonde qu'elle s'endort. Et voilà que dans son subconscient – parce qu'elle a aussi un subconscient, la chenille – toutes les forces et les énergies commencent à faire un travail sur cette image qui l'a tellement impressionnée, l'image du papillon. Car les véritables transformations ne sont jamais réalisées par la pensée, dans la conscience, mais par les forces du subconscient; c'est pourquoi, quand vous voulez obtenir la réalisation d'un désir, il faut que vous sachiez comment descendre dans votre subconscient pour déposer l'image que vous voulez réaliser, sinon on ne sait pas combien de temps il faudra pour cette réalisation. Seules les forces subconscientes ont un très grand pouvoir sur la matière.

Alors voilà qu'après quelque temps, du cocon où la chenille s'était enfermée, sort un papillon ! Et c'est justement ce phénomène que nous devons déchiffrer pour comprendre ce que nous enseigne l'Intelligence cosmique par cette métamorphose de la chenille en papillon. Jusqu'à un certain âge, et cela peut durer des centaines d'incarnations, l'homme est comme la chenille qui a besoin de manger des feuilles : il satisfait ses appétits aux dépens des autres, il les salit, il les déchire. Mais le jour où, dégoûté de lui-même, il décide de changer pour devenir quelque chose de mieux, il commence à se concentrer, à méditer et surtout à préparer un cocon pour se protéger... et ce cocon, c'est l'aura. Le disciple qui prend conscience de la puissance de l'aura et travaille sur elle, se transforme en papillon, c'est-à-dire en Initié. Il cesse alors de «manger» les êtres – comme la chenille cesse de manger les feuilles – et il commence à se nourrir de nectar et de pollen, c'est-à-dire de leurs émanations subtiles. Vous voyez, être un homme ordinaire ou un Initié correspond à une façon différente de se nourrir.

Evidemment, pour beaucoup de «chenilles», cette métamorphose n'est pas encore possible. Elles vous diront que les choses doivent rester telles que la nature les a faites depuis des milliards d'années. Elles ne savent pas qu'elles peuvent devenir des papillons, des êtres ailés, se nourrissant des éléments les plus purs. Bien sûr, il faudra éternellement se nourrir, mais il y a nourriture et nourriture, et aussi façon et façon de se nourrir. Au lieu de faire avec les créatures des échanges grossiers, inesthétiques, écœurants même, on peut faire des échanges subtils, comme le papillon, sans rien salir ni détruire : se donner mutuellement beaucoup d'amour, mais sans descendre, sans manger les feuilles.

Combien de jeunes garçons et de jeunes filles viennent me confier qu'après certaines expériences qu'ils ont faites, ça ne va plus comme avant, ils se sentent alourdis, mal à l'aise... Alors voilà ce que je leur réponds : «Ne vous vexez pas, mais votre état intérieur est exactement celui de quelqu'un qui serait passé par plusieurs cheminées : vous avez taché et sali vos vêtements éthérique, astral et mental.» Oui, ces expériences ont laissé dans leur subconscient des empreintes, invisibles bien sûr, mais réelles, et quand ils veulent faire un effort dans le plan spirituel, ils se sentent entravés, surchargés, retenus en arrière. Avant ils se sentaient légers, dilatés, heureux, fiers même, tandis que maintenant ils sont un peu recroquevil-

lés et honteux. Ils n'ont plus sur le visage la
lumière qu'ils avaient avant. Et tous le disent :
«On ne savait pas que c'était comme ça. Si on
avait su!»

Eh oui, dans le monde entier les garçons et
les filles ne savent pas ce qui les attend lorsqu'ils se lancent dans certaines expériences.
Mais cela ne les intéresse pas de le savoir. Ce
qu'ils veulent, c'est avoir des plaisirs, goûter
des sensations, être heureux soi-disant ; et voilà
que ce n'est pas toujours le bonheur qui les
attend, mais la honte, le regret, quelque chose
de pesant, d'obscur. Et c'est là une des plus
grandes tristesses de l'humanité : l'ignorance
dans laquelle vit la jeunesse. Ensuite, quand
ces jeunes viennent ici dans la Fraternité, ils
comprennent qu'il y a des vérités à connaître,
des lois à respecter et ils se décident à ne plus
vivre l'ancienne vie. Oui, mais comment éliminer les traces de ce qu'on a vécu? Il faut chaque
jour se laver, se purifier, travailler sur la lumière, prier, méditer, se lier au Ciel. Quelque
temps après – pas si vite, hélas – ils commencent à y voir un peu plus clair et à avancer.

Que la jeunesse accepte d'être éclairée, instruite et bien dirigée par les Initiés, qu'elle ne
se presse pas de se lancer dans des expériences
inutiles et dangereuses! Et ensuite, mon Dieu,

le Ciel enverra à tous les garçons et à toutes les filles celle ou celui qui leur convient. En tout cas, qu'on ne m'accuse pas d'induire la jeunesse en erreur! Regardez dans quel état se trouvent tous ces garçons et ces filles qui ont fait tellement d'expériences prématurées! Ils veulent être gais et joyeux, mais ils font semblant. On sent qu'ils n'ont plus la même inspiration, qu'il y a en eux quelque chose de brisé, d'éteint. Il aurait fallu qu'ils le sachent: lorsqu'on provoque en soi des éruptions volcaniques, cela ne reste pas sans conséquences. Quelque part dans la structure psychique de l'être se produisent des explosions, des ruptures, des dépenses formidables de quintessences d'une valeur inestimable.

Vous direz: «Mais alors, on ne doit pas se réjouir, on ne doit avoir aucun plaisir?» Si, mais il faut savoir quand et de quelle façon. Tout peut devenir merveilleux et magnifique quand on sait comment comprendre et comment agir. Combien de fois je vous l'ai dit: la force sexuelle est une énergie que l'on peut comparer au pétrole. Les ignorants et les maladroits sont brûlés – cette force brûle leur quintessence – tandis que ceux qui savent l'utiliser, les Initiés, volent dans l'espace. Alors, vous voyez, les idiots sont brûlés et les intelligents

volent dans l'espace! Aucune image ne résume
aussi bien cette question de la force sexuelle.
Alors pourquoi ne pas voler dans l'espace jusqu'aux étoiles et tout connaître, au lieu d'être
toujours brûlé?

Je n'ai jamais nié qu'il y ait de bonnes
choses dans l'amour physique. Puisque l'Intelligence cosmique a fait les choses ainsi, ce n'est
pas à moi maintenant de la critiquer. Non,
mais l'Intelligence cosmique a aussi prévu une
évolution pour l'humanité et dans tous les
domaines. De plus en plus on s'indigne à notre
époque contre certaines manifestations de vio-
lence et de cruauté qu'on trouvait normales il y
a quelques siècles; maintenant on les déclare
indignes de l'homme. Alors, pourquoi n'y
aurait-il pas aussi une évolution dans le domaine de l'amour?

Pour ceux qui savent lire, cette évolution
est inscrite dans une page du grand livre de la
nature vivante: dans l'histoire de la chenille et
du papillon. Et ce n'est pas le seul exemple.
Etudiez aussi la vie des abeilles. On a beaucoup
écrit sur les abeilles, sur l'organisation de leur
société, sur leurs mœurs, mais sur ce qu'elles
représentent du point de vue symbolique, on
ne connaît pas grand-chose. Les abeilles

recueillent le nectar et le pollen des fleurs dont elles font ensuite une nourriture délectable, le miel. Symboliquement, ce travail est celui des Initiés ou des disciples déjà avancés qui prennent chez les êtres humains qu'ils fréquentent les éléments les plus purs, les plus subtils pour en faire un miel qui nourrira les anges. De même que l'abeille ne mange pas les fleurs, l'Initié, au lieu de dévorer les humains comme le font la plupart des gens, ne prend d'eux que ce qui est le plus spirituel. Grâce à ses connaissances alchimiques, il prépare dans son cœur, dans son âme, une quintessence, une nourriture, un parfum délicieux que les anges viennent recueillir.

Voilà ce que représente l'abeille : un Initié. Dans chaque âme humaine, même dans celle des criminels, l'Initié trouve des éléments divins, et c'est avec toutes ces quintessences qu'il produit le miel spirituel. Un être qui sait tout transformer, tout sublimer, tout illuminer, prépare le miel. C'est une abeille, la ruche est en lui-même, et il fait le miel des éléments les plus purs, les plus subtils qui se dégagent de lui : ses émanations.

Tous les êtres humains sont appelés à extraire cette quintessence pour la transformer à l'intérieur d'eux-mêmes. Ils doivent apprendre à le faire, et pour cela travailler avec l'intellect, le cœur et la volonté, car c'est avec ces trois éléments qu'on peut tout réaliser dans l'alambic intérieur. Voilà la véritable alchimie. Les grands Initiés, qui sont les véritables alchimistes, n'enseignent que cela : comment devenir une abeille, comment extraire le meilleur de tout ce qui se trouve dans la nature et surtout chez les êtres humains ; ils les regardent, ils leur parlent, chaque être humain est une fleur pour eux. Oui, c'est merveilleux, et cette philosophie est écrite dans la nature. C'est là que les Initiés l'ont découverte.

La joie, la vraie joie ne se trouve pas dans les relations physiques. Regardez, par exemple, deux jeunes amoureux au début : ils ne se sont pas encore embrassés, mais dans quelle joie, dans quelle inspiration ils vivent ! Ils se lèvent, ils se couchent, et à la pensée seulement que l'autre existe, qu'on va le rencontrer, lui parler, ils deviennent poètes. Ils s'écrivent un peu, ils se donnent des pétales de roses qui sont comme des talismans pour eux... Mais quand ils commencent à s'embrasser, à coucher ensemble, c'en est fini de toutes ces subtilités, ils ne se réjouissent plus autant qu'avant, ils ne pensent plus l'un à l'autre comme avant, et voilà les difficultés, les règlements de compte qui commencent. Avant, ils étaient dans le paradis. Alors pourquoi n'ont-ils pas prolongé cette félicité plus longtemps?

Je sais ce que vous allez me dire: qu'on ne peut pas continuer éternellement à se nourrir de doses homéopathiques, de sourires, de paroles, qu'on a besoin de quelque chose de plus substantiel. Bon, mais ensuite ne soyez pas étonnés et ne faites de reproches à personne: mangez le potage que vous avez préparé, c'est tout. Puisque vous ne voulez pas vivre vraiment dans la lumière et dans la poésie, puisqu'il vous faut quelque chose de plus substantiel, je ne suis pas contre, mais je vous avertis de ce qui vous attend.

Moi, je ne force personne, je me contente d'expliquer. Mon Enseignement est comme une table sur laquelle j'ai mis tout ce qui existe comme fruits, légumes, poissons, fromages... Tous les aliments de la terre sont là, mais cela ne veut pas dire que chacun doit tout manger. Oui, je suis obligé de vous présenter toutes les vérités, toutes les méthodes, toutes les solutions, mais chacun doit choisir ce qui convient à son estomac.

IX

UN TRANSFORMATEUR
DE L'ÉNERGIE SEXUELLE :
LE HAUT IDÉAL

On est souvent venu me demander s'il est préférable de vivre dans la chasteté ou, au contraire, d'avoir des relations sexuelles. En réalité, ce n'est pas ainsi qu'on doit poser la question ; il est impossible de dire d'une façon générale ce qui est bon ou ce qui est mauvais... Tout dépend de la personne. Vivre dans la chasteté, la continence, peut donner de très mauvais résultats, mais aussi de très bons. La continence peut rendre les uns hystériques, névrosés, malades, et d'autres, forts, équilibrés et bien portants. Et donner libre cours à l'instinct sexuel peut faire beaucoup de bien aux uns et beaucoup de mal à d'autres. On ne doit donc pas classer les choses en disant : «Ça, c'est bon... ça, c'est mauvais.» Le bien et le mal dépendent d'un autre facteur : comment on utilise les forces, comment on les dirige. Rien n'est ni bon ni mauvais, mais devient bon ou mauvais.

La question, c'est de savoir d'abord quel est votre idéal, ce que vous voulez devenir. Si vous voulez faire de grandes découvertes dans le monde spirituel, évidemment vous êtes obligé de diminuer le nombre de certains plaisirs ou même d'y renoncer complètement afin d'apprendre à sublimer votre force sexuelle. Mais si vous n'avez pas ce haut idéal, à ce moment-là, c'est idiot de se retenir, d'être chaste et vierge, et même vous tomberez malade parce que vos efforts ne rimeront à rien. Il n'est pas raisonnable de donner dans ce domaine les mêmes conseils et les mêmes règles à tous.

Quelqu'un vient me voir et me dit : « Maître, je pense qu'il n'est pas bon pour moi de me marier et d'avoir des enfants, c'est la spiritualité qui me tente. » Et quand je regarde sa constitution, sa structure, je réponds : « Non, non, c'est mieux pour vous de vous marier, sinon ce sera épouvantable, vous serez malheureux et tout le monde sera importuné. » Et à quelqu'un d'autre qui veut se marier, il arrive parfois que je dise : « Mariez-vous si vous voulez, mais vous devez savoir que vous n'êtes pas construit pour le mariage et que vous souffrirez. » Beaucoup de filles et de garçons ne se connaissent pas eux-mêmes et ne savent pas ce qu'ils doivent faire. Chacun vient sur la terre avec un programme à remplir. Ce n'est pas lui qui peut décider de ses tendances et de ses instincts.

Expliquez par exemple à un chat qu'il doit devenir végétarien et ne plus manger de souris, il vous écoute et il fait : «Miaou !» c'est-à-dire : d'accord, j'ai compris, c'est promis. Mais pendant que vous êtes en train de le prêcher, voilà qu'il entend quelque part un petit bruit : c'est une souris qui grignote... Tout de suite le chat vous plaque, mais alors sans remords, pour se jeter sur la souris. Pourtant il vous avait écouté attentivement, il vous avait même fait une promesse... Maintenant il revient en se léchant les babines, et il dit encore : «Miaou !» c'est-à-dire : c'est plus fort que moi (oui, traduction littérale !) je ne peux pas changer ma nature de chat du jour au lendemain. Donc, tant qu'on est encore un chat, on mangera les souris.

Maintenant, cela ne veut pas dire que vous ne devez pas faire des efforts pour sublimer la force sexuelle. Mais ça, je vous l'ai déjà expliqué, vous ne pouvez pas lutter contre elle ; si vous essayez, c'est elle qui va vous broyer. Donc, voilà comment vous devez vous y prendre : vous devez avoir un associé très puissant à qui vous envoyez cette force, et lui, grâce à son savoir alchimique, parvient à la transformer en santé, en beauté, en lumière, en amour divin.

Cet associé-là, c'est un haut idéal, une idée fondamentale avec laquelle vous vivez, que vous chérissez, que vous nourrissez et c'est elle qui transformera cette énergie, pas vous. C'est pourquoi celui qui n'a pas d'idéal spirituel n'y arrivera jamais, et à celui-là on ne peut donner que ce conseil : trouve vite quelqu'un et marie-toi, sinon tu seras un danger public, tu vas embêter le monde entier.

Vous voyez, je ne vous embarque pas dans des aventures incertaines, je vous présente très clairement la question. Si vous n'avez pas le désir de devenir un être magnifique, un conducteur de la lumière, un bienfaiteur de l'humanité, jamais vous n'arriverez à juguler cette force ; alors donnez-lui une issue, mariez-vous, ayez des enfants. Mais si vous avez ce haut idéal, ce serait criminel d'abandonner tout le Ciel pour aller satisfaire un mari ou une femme, que d'ailleurs vous n'arriverez peut-être jamais à satisfaire quoi que vous fassiez. Au contraire, cela vaut la peine de travailler pour un idéal formidable, parce que ces énergies iront alimenter, nourrir et renforcer cet idéal. Oui, si au moment où vous ressentez une impulsion sexuelle, vous vous concentrez sur votre idéal, cette énergie remonte vers le cerveau pour aller l'alimenter, et quelques minu-

Omraam Mikhaël Aïvanhov

COLLECTION
OEUVRES
COMPLÈTES

32 titres parus.

Omraam Mikhaël Aïvanhov

BROCHURES

ÉDITIONS PROSVETA

18 titres déjà parus,
d'autres à venir.

CASSETTES
DE
CONFÉRENCES
DISPONIBLES

**20 TITRES
DÉJÀ PARUS
D'AUTRES
À VENIR**

Omraam Mikhaël Aïvanhov

Collection
Izvor

ÉDITIONS · PROSVETA

36 titres déjà parus,
d'autres à venir.

PENSÉES
QUOTIDIENNES

1995
ÉDITIONS PROSVETA

Un thème de méditation
pour chaque jour de
l'année.

☐ OUI, je désire recevoir gratuitement de l'information sur les publications des éditions Prosveta, et ce, sans aucune obligation de ma part.

☐ OUI, j'accepte que mon nom soit inclus dans votre liste d'envois postaux pour être informé(e) de vos nouvelles publications, et ce, sans aucune obligation de ma part.

☐ OUI, je veux assister à une conférence enregistrée inédite d'Omraam Mikhaël Aïvanhov. Veuillez me faire parvenir de l'information à ce sujet, sans aucune obligation de ma part.

NOM: _____

ADRESSE: _____

VILLE: _____ PROVINCE: _____

CODE POSTAL: _____ TÉL.: (____) ____ - ____

PROSVETA inc.

1565 Montée Masson
Duvernay est, Laval
Québec
H7E 4P2

tes après vous êtes libéré, vous avez la victoire.

Combien de fois je vous ai parlé de l'importance d'avoir un haut idéal! Eh bien, voilà encore aujourd'hui une application inattendue dans le domaine sexuel. Faites converger toutes les énergies vers une idée sublime et pas seulement vers le plaisir: ce sont elles qui vous serviront et qui contribueront à la réalisation de cette idée. Depuis que je vous parle du haut idéal, vous n'avez pas encore compris quel puissant transformateur d'énergies il représente. Seulement, la question est de savoir comment on peut avoir ce haut idéal, comment on peut le faire naître et l'alimenter.

En réalité, c'est simple. Vous voulez vous améliorer, être plus sage, plus rayonnant, plus pur, plus fort?... Vous devez consacrer du temps à souhaiter et à visualiser ces qualités. Vous vous imaginez que vous êtes entouré de lumière, que vous émanez l'amour pour le monde entier. Peu à peu les images de ces qualités que vous formez deviennent vivantes, elles agissent sur vous, elles vous transforment, car elles travaillent à attirer de l'univers les éléments appropriés pour vous les infuser. Bien sûr, beaucoup de temps et de travail sont nécessaires avant de parvenir à un résultat, mais quand ce résultat est là, vous ne pouvez plus douter : vous sentez au-dessus de vous une entité vivante qui vous protège, vous instruit, vous purifie, vous éclaire et qui, dans des cas difficiles, vous apporte les éléments dont vous avez besoin. Il faut tout d'abord former cette perfection au moins dans le monde mental, et c'est ensuite qu'elle descendra pour se concrétiser dans la matière.

Comprenez-moi bien : je ne suis pas aussi étroit ou fanatique que vous pouvez le croire. Je suis large, très large. Seulement, étant donnée ma tâche d'instructeur, j'ai envers vous le devoir de vous montrer ce qui est le meilleur. «Oui, mais on ne peut pas vous suivre !» Cela ne fait rien, vous réussirez dans une prochaine incarnation ; il ne faut pas se suicider sous prétexte qu'on n'arrive pas à obtenir les résultats que l'on souhaite. Je dois vous montrer de nouvelles possibilités, de nouveaux chemins, vous dire comment vous pouvez vous y engager ; mais si pour le moment vous ne le pouvez pas, je ne vais pas vous prendre à la gorge. Ma tâche est de vous donner des explications, c'est ensuite à chacun de choisir, d'après sa nature, d'après son tempérament, d'après son degré d'évolution.

Si le Ciel m'a donné ce travail à faire avec vous, c'est parce qu'il sait que je suis large et que je ne vous induirai pas en erreur. Maintenant si quelqu'un n'est pas capable, s'il n'est pas doué, ce n'est pas de ma faute, c'est qu'il n'a pas encore travaillé dans ses incarnations passées, et maintenant, bien sûr, il rencontre d'énormes difficultés. Mais à ceux qui sont déjà prêts, je dois donner les moyens d'aller plus loin. Si ce n'est pas moi qui vous les donne, qui d'autre vous les donnera?

C'est l'amour qui est précieux, c'est l'amour qui est essentiel, mais pour le renforcer, le protéger, le rendre durable, il faut en diminuer les manifestations physiques. Seulement, il faut aussi savoir qu'il est très dangereux de renoncer à une joie sans la remplacer par une autre joie, car cela se reflète douloureusement sur le système nerveux. Pour ne pas subir ensuite de réactions négatives, il faut toujours remplacer un plaisir par un autre plaisir, plus spirituel.

Dans la Science initiatique, il est dit que le renoncement n'est pas une privation, mais un remplacement, une transposition dans un autre monde. C'est la même activité qui continue, mais avec des matériaux plus purs, plus lumineux. Quand on dit qu'il faut se priver, renoncer, faire des sacrifices, ce n'est qu'une façon de parler. En réalité, il ne faut pas se priver, il ne

faut pas renoncer, mais seulement se déplacer,
c'est-à-dire faire en haut ce qu'on faisait en
bas : au lieu de boire de l'eau dans un marécage
où pullulent les microbes, il faut boire l'eau
d'une source pure, cristalline. Ne pas boire,
c'est la mort. Un véritable Maître ne se prive
de rien : il mange, il boit, il respire, il aime,
mais dans des régions, dans des états de conscience inconnus pour l'homme ordinaire.

La méthode que les gens adoptent générale-
ment pour se débarrasser de l'envie de fumer,
de boire ou d'aller avec les femmes (supprimer
l'habitude sans la remplacer par rien) est extrêmement dangereuse : elle les désaxe et les plon-
ge dans le vide. Il faut une compensation, il
faut substituer au désir inférieur un désir supérieur. C'est pourquoi réfléchissez bien chaque
fois que vous voulez renoncer à un besoin qui
est très fort en vous, car c'est une décision très
grave. Il faut remplacer ce besoin. Ainsi, pour
qu'il soit satisfait, vous continuez à manger, à
boire, à aimer ou à vivre, mais à un degré qui
ne vous expose plus aux mêmes dangers. Si
vous ne remplacez pas vos besoins, vous suc-
comberez.

Si un Initié ne trouvait pas la joie, le plaisir
beaucoup plus haut, dans ses méditations, ses
contemplations, sa façon de vivre, son amour

pour les humains, il ne pourrait jamais vaincre : parce que les Initiés sont construits comme tout le monde. Mais c'est grâce à leur amour formidable pour un haut idéal qu'ils arrivent à sublimer leurs énergies.

Ne luttez jamais contre l'instinct sexuel par votre seule volonté. Pour vaincre il faut appeler des forces célestes, c'est-à-dire un haut idéal, un amour formidable pour la perfection, pour la pureté, pour la beauté. Si vous n'avez pas ce haut idéal, si vous n'aimez pas la vie divine, la vie parfaite, ne luttez pas contre la force sexuelle : vous serez brisé. Le refoulement n'est pas une solution au problème de la sexualité, car le refoulement n'est rien d'autre que le refus de donner à la force sexuelle son issue normale, sans avoir dans la tête une idée, un idéal qui fasse un travail dans les plans supérieurs pour sublimer cette force.

Vous pouvez avoir confiance en moi, je connais la question. Je ne vous dis rien que je n'aie d'abord vérifié, et c'est parce que j'ai vérifié toutes ces grandes lois que j'ai le droit de vous parler. Depuis plus de quarante ans je vous donne des points de vue qui, si vous les comprenez comme il faut, ne peuvent jamais causer de dégâts. Toute ma vie je n'ai fait que des expériences sur moi-même pour étudier et

trouver les meilleures méthodes, et c'est grâce à
ces expériences que je peux vous être maintenant extrêmement utile. Mais si vous n'avez
pas confiance en moi, si vous avez peur d'être
malheureux en appliquant ces méthodes, ne les
appliquez pas ; moi je n'ai rien contre, mais
c'est vous qui souffrirez. Un jour vous vous
apercevrez combien vous avez été stupides
d'agir à la légère parce que vous n'aviez même
pas vu où était votre véritable intérêt.

X

OUVRIR A L'AMOUR UN CHEMIN VERS LE HAUT

Les Initiés nous enseignent qu'à l'origine du monde, seul existait l'Absolu que la tradition kabbalistique appelle Aïn Soph Aur, c'est-à-dire Lumière sans fin. Entité inconnaissable, inconcevable, on peut dire seulement qu'Il était l'Etre et le Non-Etre – seul le silence pourrait l'exprimer. Il contenait tout en puissance, et quand Il a voulu Se manifester, Il a émané une partie de Lui-même. Mais pour que cette manifestation soit possible, Il a dû se polariser en positif et négatif, masculin et féminin, car sans polarisation, il ne peut y avoir de manifestation. C'est donc par la polarisation que sont apparus les deux principes, et c'est avec ces deux principes que Dieu a tout créé. Il serait évidemment trop long d'expliquer cette question, mais en quelques mots on peut dire que le monde subtil, organisé et lumineux, émané par l'Absolu, est le monde de la «création», l'Esprit, le Ciel; et qu'à son tour ce monde de la création s'est condensé, concrétisé par étapes successives pour donner le monde de la «formation», la matière, le plan physique.

C'est pour exprimer cette vérité qu'un des plus grands Initiés, Hermès Trismégiste, a laissé cette phrase: «Tout ce qui est en bas est comme ce qui est en haut.» Il a voulu montrer que si l'on sait raisonner correctement et bien comprendre ce qui est en bas, dans le plan physique, on peut connaître ce qui est en haut, c'est-à-dire le domaine des Idées, le domaine des forces, des puissances, tout ce qui est invisible et subtil. Puisque dans le plan physique l'homme et la femme sont un reflet des deux principes masculin et féminin qui existent en haut, nous devons en conclure que – contrairement à ce qu'enseigne la religion chrétienne pour qui Dieu a seulement un Fils – Dieu, qui est le principe masculin, possède aussi son pôle féminin, c'est-à-dire qu'Il a aussi une Epouse.

Dans toutes les religions, Dieu, l'Esprit cosmique, a une Epouse; dans la Kabbale, on l'appelle Shékina. Oui, l'Epouse de Dieu, c'est la Nature; et l'Esprit cosmique et la Nature, sa femme, ont des enfants. Dans toutes les religions on retrouve cette Trinité: dans l'Inde, avec Brahma, Prakriti et Purusha ; dans la religion égyptienne, avec Osiris, Isis et Horus. Seule la religion chrétienne fait exception. Pourquoi ? Parce que d'après une opinion erronée qui s'est répandue, tout ce qui est masculin est parfait et tout ce qui est féminin ne l'est pas. Souvent, dans le passé, les pères étaient furieux lorsqu'il leur naissait une fille. Et même, pour beaucoup de chrétiens, la femme est une créature du Diable parce que c'est elle qui a séduit Adam. Mais là encore, on n'a rien compris de ce que dit la Bible, et cette erreur doit être corrigée. Dieu aussi a une Epouse, sinon nous ne serions pas créés d'après son image et sa ressemblance. Sans le principe féminin, il n'y aurait pas de création, car rien dans la nature ne peut vivre et s'épanouir sans la participation des deux principes. Puisque nous sommes créés d'après l'image de Dieu, on doit redonner sa véritable place à ce principe féminin, qui est, lui aussi, splendeur et perfection.

Mais revenons aux trois personnes de la Sainte Trinité représentée dans la religion chrétienne par le Père, le Fils et le Saint-Esprit. Le premier principe représente la puissance, la Source de toute vie. Le deuxième principe, le Christ, représente la lumière, l'intelligence. Et le troisième principe, le Saint-Esprit, est le principe de l'amour. Oui, le Saint-Esprit est le feu de l'amour.

S'il est dit dans les Ecritures que tous les péchés seront pardonnés sauf le péché contre le Saint-Esprit, c'est parce que justement le péché contre le Saint-Esprit est le péché contre l'amour. Le christianisme n'a jamais su expliquer ce qu'est ce crime contre le Saint-Esprit et pourquoi il n'est pas pardonné, mais aujourd'hui je veux éclaircir cette question et j'en prends la responsabilité.

Dans la vie, tout le monde sait que si l'on manque d'intelligence ou de volonté, on ne rencontre que des échecs et des désillusions. Mais on s'imagine que si, dans le domaine de l'amour, on n'a pas de conceptions justes ni de manifestations convenables, ce n'est pas grave, on ne peut pas subir d'échec, on ne commet pas de crime. Eh si, justement. Etre bête, c'est grave, être faible aussi, et faire l'amour comme un animal, ce ne serait pas grave?... Eh bien voilà un raisonnement stupide. C'est cette faute justement qui n'est pas pardonnée, parce que les conséquences en sont déplorables ; pour elle il ne peut y avoir de pardon, on est puni et on doit payer. Vous direz : «Payer? Mais de quelle façon?» Du moment que vous éprouvez certaines sensations, que vous vous permettez certains plaisirs, cela signifie que vous brûlez des matériaux, et donc que vous êtes en train de payer.

Toute manifestation physiologique est une combustion. Déjà, rien qu'en pensant, en parlant, on brûle des matériaux... C'est encore plus vrai pour les émotions : quand vous avez soudain une grande joie ou un grand chagrin ce sont des matériaux qui brûlent et qui produisent des déchets, et il faut ensuite beaucoup de temps pour récupérer. Chaque manifestation, chaque émotion, chaque sensation est une dépense de matériaux et d'énergie. Alors comment peut-on s'imaginer que dans les effervescences de l'amour, on ne dépense rien, on ne perd rien ? C'est là justement que les dépenses sont les plus grandes et qu'il est le plus difficile de récupérer, car on a brûlé dans la chaudière toutes les quintessences les plus utiles à la vie et à la santé.

Cela ne veut pas dire qu'il faut tout supprimer et vivre sans amour, non. La question, c'est de vivre une vie sensée, intelligente, esthétique. Mais quand on voit comment les gens se vautrent dans les plaisirs physiques sans essayer d'ajouter un autre élément plus spirituel, il y a de quoi être étonné et même choqué, car c'est une perte, une grande perte dans tous les domaines. Mais ils ne pensent jamais qu'ils perdent quelque chose, et d'ailleurs, ils vous le disent : «Ces organes ne s'usent pas.» Bien sûr, ces organes ne s'usent pas, mais ici, dans le cerveau, il y a une matière qui s'use très vite, il faut le savoir.

Et maintenant, que les chrétiens ne soient pas choqués de ce que je vais vous dire. D'après la science des symboles, le Père Céleste est lié au cerveau. Le Christ est lié au plexus solaire qui est le vrai cœur. Quant au Saint-Esprit, il est lié aux organes génitaux. Pour la première fois je vous révèle ce mystère : le Saint-Esprit est lié à l'amour et aux organes génitaux. Donc, pour ne pas commettre de fautes et être puni, il faut apprendre la bonne attitude à avoir à l'égard de ces organes que Dieu nous a donnés. Moi je pense qu'il n'existe rien de plus merveilleux, de plus intelligent et de plus profond que les organes de l'homme et de la femme. Il faut les estimer, les apprécier, et même les consacrer à la Divinité.

Dans la Science initiatique, on apprend que même si la force sexuelle se manifeste dans les organes génitaux d'une façon très imparfaite, en réalité cette force vient du Ciel. Je ne suis

pas d'accord avec les gens qui prétendent que
«l'amour n'est que la friction de deux épider-
mes». Ils s'arrêtent sur les conséquences, mais
la cause, l'origine de cette force est très lointai-
ne et c'est pourquoi elle leur échappe. En réalité, si cette énergie ne vient pas, aucune friction
ne servira à rien. Oui, l'amour est une force
divine qui vient d'en haut, et il faut donc la
considérer avec respect, la préserver et penser
même à la faire retourner vers le Ciel, au lieu
de l'envoyer vers l'Enfer où elle est prise et uti-
lisée par les monstres, les larves, les élémentaux. Il faut pouvoir renvoyer cette force, mais
c'est toute une science, et les gens sont trop
pressés pour s'arrêter et l'étudier ; ils ne pensent qu'à se débarrasser de cette pression le
plus rapidement possible parce qu'ils sentent
une tension terrible et qu'ils sont poussés soi-
disant... Mais pourquoi ne pas comprendre que
cette tension est la plus grande richesse ?

On doit considérer l'être humain comme un
bâtiment de cinquante, cent ou même mille
étages, et on comprendra qu'une grande tension, une grande pression est nécessaire pour
que l'eau puisse abreuver les habitants qui sont
au dernier étage. Les hommes et les femmes
doivent savoir ce qu'est cette tension qu'ils res-
sentent pour l'utiliser, ils arriveront ainsi à

abreuver et à nourrir les cellules de leur cerveau, car cette énergie peut monter jusqu'au cerveau par des canaux que l'Intelligence cosmique a spécialement aménagés. Ce n'est pas parce que la science ne les a pas encore découverts par ses appareils qu'elle a le droit de nier leur existence.

Quand l'homme et la femme gaspillent cette énergie sacrée, sans respect, sans véritable amour, sans volonté de réaliser des créations sublimes, ils commettent le péché contre le Saint-Esprit. Et actuellement, c'est le péché le plus répandu. Quels sont les hommes et les femmes qui considèrent encore l'amour comme une force qui peut leur permettre de se rétablir, de se recréer, de retrouver le chemin du Ciel et de devenir vraiment des divinités? C'est par l'amour que l'humanité retournera vers le Paradis, et malheureusement, c'est par l'amour aujourd'hui qu'elle s'en éloigne de plus en plus.

Mais que ce soit clair au moins pour vous une fois pour toutes. D'après le comportement que vous adoptez vis-à-vis de l'amour et des organes génitaux, vous entrez – ou vous n'entrez pas – en harmonie avec cet Etre Sublime qui est le Saint-Esprit cosmique, et vous retrouvez à nouveau le Royaume de Dieu en vous-même, ou bien vous transgressez ses lois. Vous pouvez donc tirer une conclusion : les mêmes organes sont capables de vous faire descendre jusqu'en Enfer ou de vous faire monter jusqu'au Ciel, cela dépend comment vous orientez vos énergies.

Il est écrit dans la Table d'Emeraude : «Il monte de la terre et descend du ciel et reçoit sa force des choses supérieures et des choses inférieures... C'est la force forte de toutes les forces...» Voilà le trajet normal de cette force : du ciel à la terre, et de la terre au ciel.

Donc, la question n'est pas de supprimer l'amour, de le comprimer, de le refouler, mais de trouver des méthodes, des moyens pour le manifester correctement. L'amour est une énergie qui vient de très haut, qui est de la même essence que le soleil, et l'homme a la tâche de recevoir cette énergie et de la faire circuler en lui, pour la renvoyer ensuite vers le Ciel où elle a son origine.

Lorsque Dieu a créé l'homme et la femme, Il les a équipés de tout un système extraordinaire de canaux à travers lesquels la force sexuelle peut, si on sait la diriger, retrouver son chemin vers le haut. Toutes ces installations sont là, chacun les possède, seulement les humains les ont tellement négligées qu'elles sont rouillées, bouchées, débranchées. De plus, comme ces canaux sont de nature fluidique, donc encore beaucoup plus fins que ceux du système nerveux lui-même, seuls les clairvoyants peuvent les voir et discerner le trajet que suivent ces énergies qui, venues de très bas, se dirigent vers le haut pour aller alimenter le cerveau.

Comprenez-moi bien, les Initiés ne s'occupent pas d'empêcher cette énergie de descendre, ils n'essaient même pas. Ce sont quelques berlots de puritains qui luttent et qui sont toujours terrassés, broyés, parce qu'ils luttent contre le principe divin, contre la force solaire, contre ce fleuve qui coule et qui est le Christ lui-même, puisqu'il a dit : «Je suis le chemin, la vérité et la vie.» Lorsque des couches d'impuretés se sont entassées dans l'homme à cause de ses passions, de ses emportements, cette énergie ne peut remonter, elle s'enfonce dans la terre, elle est perdue. Mais si l'homme est pur, s'il est maître de lui-même, s'il est vraiment lié à Dieu, cette énergie qui descend chaque jour, sans arrêt, ne se perd pas, elle reprend son chemin vers le haut. C'est donc toute une circulation ininterrompue...

Quand l'homme comprendra les œuvres de Dieu et verra comment le monde est construit,

que le point de départ est le Ciel, que le point
d'arrivée est le Ciel, la terre ne sera plus pour
lui un obstacle. L'amour vient du Ciel et doit
retourner au Ciel. Il n'existe pas deux, trois ou
quatre amours, c'est toujours le même, mais
compris et vécu à des niveaux différents. Il est
dit que Dieu est amour, il n'a jamais été dit que
le Diable est aussi amour... L'amour vient de
Dieu, et si en descendant il ne rencontre aucune résistance, il circule correctement sans pro-
voquer de brûlure ou de fièvre. L'amour qui
brûle est un amour qui est entravé dans son
chemin. Regardez un exemple analogue : vous
êtes au lit avec la fièvre ; cette fièvre est causée
par des impuretés qui entravent la circulation
du sang et des forces vitales, et c'est la lutte de
l'organisme pour éliminer ces obstacles, qui
produit la fièvre.

L'énergie sexuelle vient d'en haut, et la
question qui se pose est de la faire retourner
vers le haut, c'est tout. Ce sera possible quand
vous ne vous préoccuperez plus de chercher le
plaisir, mais le travail. Le malheur des
humains, je le répète, c'est qu'ils n'ont pas
compris que l'énergie de l'amour n'est pas seulement destinée au plaisir, mais qu'elle peut
servir à éveiller certaines facultés qui leur per-
mettront de faire un travail psychique, spiri-

tuel, de la plus haute importance, de devenir
des conducteurs de cette force formidable qui
transformera le monde, qui transmutera le
plomb et la cendre en or, en pierres précieuses,
en diamants. C'est par la force de l'amour que
cette transformation se fera, pas par d'autres
moyens. Cherchez donc désormais l'attitude,
les pensées, les sentiments, les projets que vous
devez avoir pour que cette énergie divine puisse être contrôlée et orientée.

Le moment est venu de comprendre les
mystères de l'amour dans la lumière, la paix,
l'équilibre, la joie, l'émerveillement, et non
dans les grandes éruptions volcaniques. Prépa-
rez-vous à faire un travail divin pour l'humanité tout entière ; c'est cela que le Ciel attend de
vous : faire un travail. Que faites-vous avec
votre amour ?... Vous ne le gardez que pour
votre plaisir, c'est pourquoi ces énergies
deviennent des poisons. Pensez désormais à le
faire revenir vers sa source et dites : «Seigneur
Dieu, voilà, je consacre ces énergies pour ta
Gloire et la venue de ton Royaume...»

Quels sont les hommes et les femmes qui
pensent à consacrer leur amour au Ciel? Ils
croient que les échanges qu'ils font ne concer-
nent qu'eux. S'ils mangent, c'est pour eux-
mêmes, et le Ciel n'a rien à faire là. Eh oui,

mais à ce moment-là c'est l'Enfer qui a quelque chose à faire. Car ce «moi» qu'ils veulent satisfaire dans la sensualité est déjà une partie de l'Enfer. Ils suppriment le Ciel sous prétexte que ce qu'ils font est honteux (mais alors pourquoi le font-ils?) et que le Ciel ne doit pas les voir, mais devant l'Enfer ils ne se cachent pas, ils n'ont pas honte, c'est pourquoi l'Enfer vient tout manger. Et même l'Eglise n'a rien expliqué, elle s'est contentée de répéter: «Croissez et multipliez» et tous s'accouplent dans les ténèbres pour la plus grande joie de l'Enfer. On parle du sacrement du mariage, mais en réalité, même si les humains se marient suivant les règles, ils font, avec leur mari ou leur femme, une débauche à laquelle ils invitent tout l'Enfer. Ils sont là ensemble dans un lit à essayer toutes sortes de postures pour éprouver le plus de sensations possibles, pour se repaître comme des animaux, et c'est ça qu'on appelle la sainteté du mariage! Pauvre humanité!

Je comprends que le côté physique de l'amour soit important, et même qu'il puisse aider à trouver le côté spirituel, mais il faut apprendre à le considérer comme un point de départ, et non un but. Supposons que vous ressentiez une attirance physique envers un homme ou une femme: eh bien, au lieu de vous plonger là-dedans pour vous y noyer, utilisez cette attirance comme une occasion d'aller très loin, de vous élever spirituellement. Il peut vous arriver aussi de voir un spectacle, de lire un livre, de feuilleter une revue qui déclenche en vous certaines réactions; au lieu de vous laisser emporter et de sombrer, prenez cela comme un point de départ, un tremplin et tâchez de vous élever si haut dans la contemplation divine que, lorsque vous redescendrez, vous serez stupéfait de voir quelles richesses vous venez d'amasser, et comment ce qui vous troublait vous a servi en définitive de stimulant, d'aide et d'encouragement pour progresser.

Dès que vous éprouvez une sensation trouble, pourquoi vous y abandonner aveuglément sans savoir où vous irez? Souvenez-vous que dans la Science initiatique on utilise tout; donc, réjouissez-vous et remerciez le Ciel en disant: «Ah! aujourd'hui, quelle chance, quelle bénédiction! Voici une situation où tout le monde s'arrache les cheveux et succombe, et où j'ai, moi, la possibilité de triompher. Merci, Seigneur, j'ai compris. Allez, à nous deux!» Et vous appliquez les méthodes que je vous ai données. Ainsi, vous vous habituez à triompher de tout, rien ne peut vous troubler ni vous vaincre, vous devenez fort et puissant, vous devenez une divinité. Mais non, on se laisse aller aveuglément, parce qu'on est poussé. Evidemment tout le monde est poussé... Seulement il existe différentes directions, et il est préférable de se laisser pousser vers le haut.

Cet amour humain, d'où serait-il venu, si ce n'est de Dieu Lui-même? On dit que Dieu est amour, mais on ne sait pas ce qu'est cet amour, et on sépare l'amour physique, l'amour sensuel, de l'amour divin. Non, il n'y a pas de séparation : ce sont des degrés, c'est la même force, la même énergie qui vient de très haut. Vous n'avez pas encore assez de lumière sur le nombre 1, indivisible, inséparable. C'est cela l'amour, justement : le nombre 1, et c'est ce nombre 1 qui produit les autres ; 2, 3, 4 ne sont que des manifestations du 1, des degrés, des formes du 1. Dieu est 1, l'amour est 1, Dieu est amour. Tout ce qui n'est pas le 1 est en réalité un aspect du 1 ; c'est pourquoi il faut retourner vers l'unité.

Nous sommes dans la multiplicité, nous sommes à la périphérie, et lorsqu'on parle du retour à l'unité, cela signifie qu'il faut retourner vers Dieu, vers cet amour qui est 1. Quand je vous dis que nous devons faire retourner l'amour vers le Ciel, c'est parce que l'amour doit retourner à sa source. On n'a pas compris ce que signifie que Dieu est amour, comme on n'a pas compris ce que signifie le mot «unité» et que nous devons retourner vers l'unité. Mais pour moi, c'est tellement clair! L'unité, c'est Dieu, Dieu est amour, et il faut retourner vers cet amour.

TABLE DES MATIÈRES

Du même auteur :

Brochures :

nouvelle présentation

L'association Fraternité Blanche Universelle
a pour but l'étude et l'application de l'Enseignement
du Maître Omraam Mikhaël Aïvanhov édité et diffusé
par les Editions Prosveta.

Pour tout renseignement sur l'Association, s'adresser à :
Secrétariat F.B.U.
2 rue du Belvédère de la Ronce
92310 SÈVRES, FRANCE
☎ 45.34.08.85

Editeur-Distributeur

Editions PROSVETA S.A. – B.P. 12 – 83601 Fréjus Cedex (France)
Tel. 94 40 82 41 – Télécopie 94 40 80 05

Distributeurs

ALLEMAGNE
EDIS GmbH,Daimlerstr.5
D - 8029 Sauerlach

AUTRICHE
MANDALA
Verlagsauslieferung für Esoterik
A-6094 Axams, Innsbruckstraße 7

BELGIQUE
PROSVETA BENELUX
Van Putlei 105 B-2547 Lint
N.V. MAKLU Somersstraat 13-15
B-2018 Antwerpen
Tel. (32) 34 55 41 75
VANDER S.A.
Av. des Volontaires 321
B-1150 Bruxelles
Tel. (32) 27 62 98 04

BRÉSIL
NOBEL SA
Rua da Balsa, 559
CEP 02910 - São Paulo, SP

CANADA
PROSVETA Inc.
1565 Montée Masson
Duvernay est, Laval, Que. H7E 4P2
Tel. 514 661 42 42
FAX 514 661 49 84

CHYPRE
THE SOLAR CIVILISATION BOOKSHOP
PO. Box 4947
Nicosie

COLOMBIE
HISAN LTA INGENIEROS
At / Alvaro MALAVER
CRA 7 – n°67-02
Bogotá – FAX 1 212 39 67

ESPAGNE
ASOCIACIÓN PROSVETA ESPAÑOLA
C/ Ausias March n° 23 Ático
SP-08010 Barcelona

ETATS-UNIS
PROSVETA U.S.A.
P.O. Box 49614
Los Angeles, California 90049

GRANDE-BRETAGNE
PROSVETA
The Doves Nest
Duddleswell Uckfield,
East Sussex TN 22 3JJ

GRÈCE
PROFIM MARKETING Ltd
Ifitou 13
17563 P. Faliro
Athènes

HONG KONG
SWINDON BOOK CO LTD.
246 Deck 2, Ocean Terminal
Harbour City
Tsimshatsui, Kowloon

IRLANDE
PROSVETA IRL.
84 Irishtown – Clonmel

ITALIE
PROSVETA Coop.
11 via della Resistenza
06060 Moiano (PG)

LUXEMBOURG
PROSVETA BENELUX
Van Putlei 105 B-2548 Lint

MÉXIQUE
COLOFON S.A.
Pitagora 1143
Colonia del Valle
03 100 Mexico, D.F.

NORVÈGE
PROSVETA NORDEN
Postboks 5101
1501 Moss

PAYS-BAS
STICHTING
PROSVETA NEDERLAND
Zeestraat 50
2042 LC Zandvoort

PORTUGAL
PUBLICAÇÕES
EUROPA-AMERICA Ltd
Est Lisboa-Sintra KM 14
2726 Mem Martins Codex

SUISSE
PROSVETA
Société Coopérative
CH - 1808 Les Monts-de-Corsier
Tel. (41) 21 921 92 18
FAX. 21 923 51 27

VENEZUELA
J.P.Leroy
Apartado 51 745
Sabana Grande
1050 A Caracas

ACHEVÉ D'IMPRIMER LE 31 MARS 1993
SUR LES PRESSES DE L'IMPRIMERIE PROSVETA
Z.I. DU CAPITOU, B.P.12
83601 FRÉJUS

— N° d'impression : 2038 —
Dépôt légal : Mars 1993
Imprimé en France